中国法院2023年度案例

国家法官学院　最高人民法院司法案例研究院　/编

劳动纠纷

（含社会保险纠纷）

中国法制出版社
CHINA LEGAL PUBLISHING HOUSE

《中国法院2023年度案例》通讯编辑名单

序

法治是治国理政的基本方式，司法是法治体系的重要基石。党的二十大报告指出，要坚持走中国特色社会主义法治道路，建设中国特色社会主义法治体系、建设社会主义法治国家。加快建设公正高效权威的社会主义司法制度，努力让人民群众在每一个司法案件中感受到公平正义。人民法院始终坚持以习近平新时代中国特色社会主义思想为指导，深入学习贯彻习近平法治思想，围绕“公正与效率”这一主题，践行新时代能动司法理念，把加强司法案例研究作为加快建设公正高效权威社会主义司法制度，坚持为大局服务、为人民司法的重要途径，通过发布具有普遍指导意义的典型案例，统一法律适用，提高审判质效，提升司法公信力，努力让人民群众在每一个司法案件中感受到公平正义。

“中国法院年度案例系列”丛书，是国家法官学院和最高人民法院司法案例研究院精选全国各高级人民法院每年选送的优秀案例，深入挖掘典型案例内在价值编辑的实用精品丛书，旨在总结提炼典型案例的裁判规则和裁判方法，发挥司法规范、指导、评价、引领的重要作用，大力弘扬社会主义核心价值观，增强全民法治意识和法治素养，展现新时代我国司法领域新发展、新成就。

本丛书自2012年编辑出版以来，已连续出版12年，每年年初出版，受到读者广泛好评。本丛书出版之初有15个分册。近年来，为顺应审判执行实践需要，更加全面反映我国司法审判执行工作的发展进程，响应读者需求，2014年度新增金融纠纷、行政纠纷、刑事案例3个分册，2015年度将刑事案例调整为刑法总则案例、刑法分则案例2个分册，2016年度新增知识产权纠纷分册，2017年度新增执行案例分册，2018年度将刑事案例扩充为4个分册，2022年度将土地纠纷（含林地纠纷）分册改为土地纠纷（含环境资源案例）分册。在全国各级人民法院的大力支持下，丛书编委会现编辑出版《中国法院2023年度案例系列》丛书，共23个分册。

“中国法院年度案例系列”丛书以开放务实的态度、简洁明快的风格，追求“好读有用”，主要体现出以下特色：一是选编案例来源广泛、时效性强。

国家法官学院和最高人民法院司法案例研究院每年通过各高级人民法院汇集全国范围内上一年度审结生效的典型案例近万件，使该丛书有广泛的精选基础，可及时、定期提供全国范围内新近发生的多种类型的新型、疑难案例。二是由法官释理说法，全方位深度挖掘案例价值。大多数案例由主审法官撰写“法官后语”，深入阐释案例的裁判思路和相关考量，充分发挥典型案例在司法裁判、类案参考、法学研究、行为指引、宣示教育等方面的价值，力求引发读者的共鸣与思考，为读者提供借鉴和启迪。三是编排依次以案由和法律适用问题为序，方便读者检索。丛书充分体现“以读者为中心”的理念，每册内容主要根据案由分类编排，每个案例主要围绕法律适用问题，用一句话精要概括裁判规则、裁判思路或争议焦点，以其作为主标题，让读者能一目了然，迅速找到所检索的目标案例。四是注重裁判文书再加工，高度提炼案例内容。案例编写突出争议焦点以控制篇幅，剔除无关信息，尽可能在有限的篇幅内为读者提供更多与争议焦点、所查类案相关的有效、有益信息。

中国法制出版社始终全力支持“中国法院年度案例系列”丛书的出版，给了作者和编辑们极大的鼓励。2023年，这套丛书将继续提供数据库增值服务。购买本书，扫描前勒口二维码，即可在本年度免费查阅往年同类案例数据库。我们在此谨表谢忱，并希望通过共同努力，逐步完善，做得更好，真正探索出一条编辑案例书籍、挖掘案例价值的新路径，更好地服务司法审判高质量发展、服务法治社会建设、服务学习研究法律的读者。

“中国法院年度案例系列”丛书既是法官、检察官、律师等法律工作者的办案参考和司法人员培训的实用教材，也是社会大众学法用法的经典案例读本，同时是教学科研机构与人员从事案例研究的良好系列素材。当然，案例作者和编辑在编写、编审过程中也难以一步到位实现最初的愿望，客观上会存在各种不足甚至错误，欢迎读者批评指正。我们愿听取各方建议，不断拓宽深化司法案例研究领域，立足新发展阶段，推动实现中国特色司法案例事业的高质量发展。

国家法官学院

最高人民法院司法案例研究院

2023年5月

目　录

Contents

一、确认劳动关系

1. 村民委员会工作人员与村民选举其任职的村民委员会之间不构成劳动关系 …… 1
——胡某诉某村村委会确认劳动关系案

2. 符合特定条件时“师徒”关系应当认定为劳动关系 …… 5
——黄某诉健康理疗公司劳动争议案

3. 关联企业用工混同且均未与劳动者签订劳动合同情形下劳动关系的认定 …… 10
——赵某诉商贸公司劳动争议案

4. 劳动关系是否成立属法定范畴，应坚持实质审查原则 …… 15
——毛某诉供应管理公司劳动争议案

5. 劳动合同缔约过程中用人单位过失的责任认定及赔偿范围 …… 19
——苏某诉土地开发公司劳动争议案

6. 实际控制人与公司所签订劳动合同之效力甄别 …… 24
——陈某诉支付服务公司劳动合同案

7. 依法设立的分公司具有用人主体资格，可以与劳动者建立劳动关系 …… 29
——徐某诉安保公司劳动争议案

8. 意思表示应当作为认定劳动合同关系是否成立的考量因素 …… 33
——物业管理公司诉聂某劳动争议案

9. 银行的个人信用报告能否作为确认劳动关系的依据 …… 37
——王某诉保安公司劳动争议案

10. 用人单位“隐性控制”劳动者劳动意志的，应评价为双方之间具有劳动关系 …… 42
——周某诉甲物流公司劳动关系确认案

二、劳动合同履行和变更

11. 将劳动关系转移至关联企业应取得劳动者同意 …… 47
——高某诉工程管理公司劳动合同案

12. 用人单位行使经营管理自主权应合约合法合理 …… 51
——某医院诉周某劳动争议案

三、劳动合同解除和终止

13. 比例原则在用人单位即时解除中的应用 …… 55
——方某诉北京某公司、某外国航空公司劳动争议案

14. 居家办公模式下“劳动者严重违反劳动纪律”的认定标准 …… 60
——科技公司诉杨某劳动争议案

15. 劳动者行使病休权应当遵循诚信原则并配合用人单位行使合理的病假管理权 …… 64
——毛某诉制药公司劳动合同案

16. 劳动者违反用人单位规章制度未达严重程度，用人单位不得以此为由解除劳动合同 …… 69
——陈某诉模具公司劳动争议案

17. 离职证明的功能及其与解除协议的区别 …… 74
——高某诉教育科技公司劳动争议案

18. 试用期不合格解除劳动合同的司法认定 …… 79
——技术公司诉梁某劳动争议案

19. 视为订立无固定期限劳动合同后再签订固定期限劳动合同，用人单位不得以合同期满为由单方终止劳动合同 …… 83
——钱某诉设备公司劳动合同案

20. 同事代为提交未手写签名的辞职信是否认定为主动辞职 …… 87
——杨某诉南京某医院追索劳动报酬、经济补偿金案

21. “无过失性辞退”条款中因果关系的认定 …… 91
——财险公司诉任某劳动争议案

22. “永不开除”的特殊约定不能豁免劳动者的违纪责任 …… 96
——供应链公司诉瞿某劳动合同案

23. 用人单位不得以劳动者的正当举报行为违反公司规章制度为由解除劳动合同 …… 100
——光学科技公司诉陆某劳动合同案

24. 用人单位单方解除权行使应受除斥期间限制 …… 104
——赵某诉某会议公司劳动争议案

25. 用人单位即时单方解除权的适用考量 …… 108
——苏某诉科技公司劳动争议案

26. 用人单位以劳动者违反规章制度为由解除劳动合同的，应在解除时明确具体事由 …… 112
——丛某诉能源服务公司、能源服务公司北京分公司劳动争议案

四、追索劳动报酬、经济补偿金

27. 非劳动者本人原因从原用人单位被安排到新用人单位的经济补偿责任主体 …… 118
——嵇某诉电缆公司劳动合同案

28. 高管经董事会决议被公司单方调岗降薪的效力认定 …… 124
——隋某诉科技公司劳动争议案

29. 解除劳动合同经济补偿金的支付可否附条件 …… 129
——A网络贸易公司诉王某劳动争议案

30. 劳动者在工伤停工留薪期内返岗工作，无需用人单位同意，应兼得停工留薪期工资及正常工作期间的工资 …… 134
——汪某诉工程公司劳动争议案

31. 劳动争议案件中股权激励收益的审查要点 …… 139
——家居公司诉杨某劳动争议案

32. 女职工是否有权单方缩减哺乳期并主张终止劳动合同经济补偿 …… 145
——仇某诉服装公司劳动合同案

33. 特殊岗位未满足履职期限不符合发放激励性离任津贴条件 …… 149
——艺术品交易公司诉吕某劳动争议案

34. 用人单位不应以劳动者未盈利要求其退还已发放的佣金奖励 …… 154
——房地产经纪公司诉韦某劳动争议案

35. 员工因违法解除劳动合同而离职不应成为用人单位拒付年终奖的理由 …… 158
——刘某诉某酒店劳动争议案

36. 约定不明情形下职务发明奖励金额的酌定 …………………………… 163
——杨某诉建设公司劳动争议案

五、竞业限制

37. 股票及股票期权能否作为竞业限制经济补偿的判断 ……………………… 167
——高某诉培训公司劳动争议案

38. 竞业限制范围的合理性审查 ………………………………………………… 172
——A医疗器械公司诉宋某劳动争议案

39. 竞业限制协议的适用主体范围界定及违约救济 …………………………… 176
——A电器公司诉张某竞业限制案

40. 劳动者单方解除竞业限制约定的认定标准 ……………………………… 181
——甲棋艺培训中心与何某竞业限制案

41. 劳动者申请对约定过高的违反竞业限制违约金进行调整应予支持 …… 185
——甲公司诉高某劳动争议案

42. 劳动者与用人单位的关联公司所签竞业限制协议对用人单位之效力 ………………………………………………………………………… 190
——A计算公司诉刘某劳动争议案

六、社会保险

43. 非基于同一法律关系的诉请应当另案处理 ……………………………… 195
——吴某诉建筑劳务公司、工程公司工伤保险待遇案

44. 工伤治疗期间遭遇医疗过错的，人身损害赔偿与工伤保险待遇的赔付问题 ……………………………………………………………………… 199
——侯某诉建设公司工伤保险待遇案

七、劳动争议仲裁

45. 企业进入破产程序后，劳动者有权直接起诉确认劳动关系及劳动债权数额，不必经过仲裁前置程序 …… 204
——龙某诉包装公司职工破产债权确认案

46. 确认劳动关系纠纷中仲裁时效的认定 …… 208
——山东某公司诉李某确认劳动关系案

八、其　他

47. 基于企业自主经营权的合理差别对待不属于就业歧视，不应认定侵犯劳动者平等就业权 …… 214
——关某诉科技公司平等就业权案

48. 离职交接表中“无任何争议”格式条款的效力认定 …… 218
——养护公司诉张某劳动争议案

49. 企业能否以医疗期规定限制职工返岗工作的权利 …… 222
——机械公司诉徐某劳动争议案

50. 用人单位的惩戒权需进行合理规制 …… 226
——周某诉医药公司劳动争议案

51. 用人单位能否通过规章制度约束劳动者工作时间外的违法行为 …… 230
——郭某诉某绿林场劳动争议案

52. 员工手册中加重劳动者法定义务的条款应属无效 …… 234
——汽车座椅公司诉李某劳动合同案

53. 主张加付赔偿金须劳动行政部门责令限期支付前置 …… 238
——熊某诉软件公司劳动争议案

一、确认劳动关系

1

村民委员会工作人员与村民选举其任职的村民委员会之间不构成劳动关系

——胡某诉某村村委会确认劳动关系案

【案件基本信息】

1. 裁判书字号

重庆市第五中级人民法院（2021）渝05民终4956号民事判决书

2. 案由：确认劳动关系纠纷

3. 当事人

原告（上诉人）：胡某

被告（被上诉人）：某村村委会

【基本案情】

2008年1月，胡某担任某村村委会计生专干一职。2014年换届后，胡某由某村村委会计生专干职务调整为综治专干职务。2017年再次换届后，胡某担任某村村委会副主任兼综治专干职务。2020年9月，胡某受到事故伤害并住院治疗，经诊断为胸椎骨折等。2021年1月11日，胡某向重庆市巴南区人力资源和社会保障局（下称巴南人社局）申请工伤认定。2021年1月14日，巴南人社局作出工伤认定申请补正材料告知书，告知胡某补正与用人单位存在劳动关系（包括事实劳动关系）或人事关系的证明材料。2021年1月26日，胡某向重庆市巴南区劳动人事争议仲裁委员会（下称巴南仲裁委）申请裁决确认其自2008年1月起至今与某村村委会存在劳动关系。同日，巴南仲裁委作出不予受理通知书。2021年2月1日，胡某向法院诉请确认其自2008年1月起至今与某村村委会存在劳动关系。

【案件焦点】

1.《中华人民共和国民法典》施行后，村民委员会（下称村委会）主任、副主任、委员（此三类人员以下统称村民选任人员）是否与选举其任职的村委会建立劳动关系；2. 村民选任人员与村委会之间在入职程序、报酬性质、收入标准和来源等方面是否具备劳动关系实质要件。

【法院裁判要旨】[①]

重庆市巴南区人民法院经审理认为：根据《劳动和社会保障部关于确立劳动关系有关事项的通知》第一条“用人单位招用劳动者未订立书面劳动合同，但同时具备下列情形的，劳动关系成立。（一）用人单位和劳动者符合法律、法规规定的主体资格；（二）用人单位依法制定的各项劳动规章制度适用于劳动者，劳动者受用人单位的劳动管理，从事用人单位安排的有报酬的劳动；（三）劳动者提供的劳动是用人单位业务的组成部分”之规定，确认劳动关系可按照前述罗列情形予以考量。《中华人民共和国民法典》第一百零一条规定村委会具有基层群众性自治组织法人资格，可以从事为履行职能所需民事活动。虽然村委会具有法人资格，但胡某作为村民选任人员系通过村民选举产生，具有严格程序性和结果不确定性，并非由村委会单方决定聘用或双方协商入职，同时胡某任职补贴费用并非由村委会负担，胡某与村委会在入职程序、报酬性质及收入标准和来源等方面均不具备劳动关系实质要件，胡某与村委会之间不

① 本书【法院裁判要旨】适用的法律法规等条文均为案件裁判当时有效，下文不再对此进行提示。

属于受劳动法律法规调整的劳动关系。胡某称其要求确认与村委会建立劳动关系为申请工伤认定所需，但双方是否具有劳动关系并不必然否认胡某受伤为工伤。

重庆市巴南区人民法院依照《中华人民共和国劳动法》第二条、《中华人民共和国民事诉讼法》第六十四条第一款、《最高人民法院关于适用〈中华人民共和国民事诉讼法〉的解释》第九十条之规定，作出如下判决：

驳回原告胡某的诉讼请求。

原告胡某不服一审判决，提起上诉。重庆市第五中级人民法院经审理认为：村委会是基层群众性自治组织，不属于劳动合同法调整的用人单位范畴，故本案胡某以确认与某村村委会存在劳动关系为由提起诉讼，一审法院判决驳回胡某的诉讼请求并无不当。

重庆市第五中级人民法院依照《中华人民共和国民事诉讼法》第一百七十条第一款第一项之规定，作出如下判决：

驳回上诉，维持原判。

【法官后语】

《中华人民共和国民法典》第一百零一条规定，村委会具有法人资格，村委会是村民自我管理、自我教育、自我服务的基层群众性自治组织。但村民选任人员系通过村民选举产生，产生过程系按照《中华人民共和国村民委员会组织法》进行，前述人员具有严格程序性和结果不确定性。从意思表示、经济从属性、人格从属性、组织从属性等角度分析，村民选任人员与选举其任职的村委会在入职程序、报酬性质及收入标准和来源等方面均不具备劳动关系实质要件。

第一，村民选任人员与村委会之间不符合劳动关系外观要件。劳动关系中管理的内涵和边界，要从劳动关系本质即人身依附性角度与用人单位对劳动者的管理界限角度进行综合判定。是否构成劳动关系，应遵循实质性判断原则，从内在核心要义出发，结合外在表现形式进行综合判定。村民选任人员在村委会工作系基于村民选举产生，从履行工作职责依据方面考量，村民选任人员与村委会之间亦不符合建立劳动关系的客观要件。

第二，村民选任人员与村委会之间不符合劳动关系内在要义。劳动关系内在核心要义是人身依附性或称人身从属性，这也是劳动关系的特征之一。由从属性延伸出来的劳动关系外在表现形式包括是否遵循用人单位规章制度、是否在工作场所提供劳动、是否支付相应工资等。村民选任人员补贴费用不由村委会支付，从经济从属性上判断，其与村委会亦不符合建立劳动关系所要求的经济从属性。

第三，村民选任人员与村委会之间不具有劳动管理的双向沟通性。劳动关系中的管理是一种双向认可式沟通机制。劳动合同是双方协商一致产生的结果，亦应遵循意思自治原则，这是双向认可的法理根源。劳动者接受管理与用人单位支付工资等都是一种双向认可或者互相接受。村民选任人员的履职行为系村民选举而产生，其行为受村民监督，从建立劳动关系的合意及规制要求方面考量，其与村委会亦不符合建立劳动关系的客观要件。

第四，村民选任人员与村委会之间不具有劳动管理的单独唯一性。劳动关系中的管理具有独立性，即劳动者只应接受自己用人单位的管理。村民选任人员系履行基层群众自治组织与基层政府工作，村委会并未对其进行独立管理，其工作内容亦大多受基层政府要求所为，从管理独立性上考量，双方亦不符合建立劳动关系的客观基础。

值得关注的是，村委会与对外聘用人员发生的用工关系，符合劳动关系特征的，应认定为劳动关系。村民选任人员与对外聘用人员，二者在履行工作职责依据、经济从属性、合意及规制要求、管理独立性等方面存在不同。村民选任人员如前所述，不具有建立劳动关系特征。而对外聘用人员非选举产生，聘用方式较为灵活。对于签订相应劳动协议，按月领取劳动报酬，且受到相关组织的管理约束的对外聘用人员，宜认定其与村委会之间建立劳动关系。准确把握前述区别要点，对厘清劳动关系实质要件，平等保护劳动者与用人单位权益，构建和谐劳动用工环境具有促进作用。

编写人：重庆市巴南区人民法院　霍袁平　侯华贞

2

符合特定条件时“师徒”关系应当认定为劳动关系

——黄某诉健康理疗公司劳动争议案

【案件基本信息】

1. 裁判书字号

福建省厦门市中级人民法院（2021）闽02民终204号民事判决书

2. 案由：劳动争议纠纷

3. 当事人

原告（反诉被告、被上诉人）：黄某

被告（反诉原告、上诉人）：健康理疗公司

【基本案情】

健康理疗公司于2018年12月27日成立，其法定代表人系石某。2019年5月13日，石某在微信群中发布招聘广告，为健康理疗公司招聘技师。黄某于2019年6月进入健康理疗公司，与石某师徒相称，接受其技术培训并按规定的技术标准为顾客提供保健调理服务。2019年6月26日至10月28日，黄某根据石某的要求在微信群中汇报统计每日服务顾客的情况，总计两百余次。石某多次在微信中要求黄某服务好顾客，于2019年7月20日通过微信指示黄某到分店当店长，于2019年7月底至8月通过微信指示黄某买材料、装修店面、付工钱。2019年8月17日至2019年10月底，黄某多次向石某发送微信信息，要求石某结算工资，石某随即向黄某微信转账1000~2500元不等。2019年11月15日，石某向黄某转账5330元并备注“工资”。上述款项合计14830元。健康理疗公司与黄某未签订书面劳动合同，未为黄某办理社会保险手续，未缴纳社会保险费。

2019 年 12 月 2 日，黄某作为申请人，以健康理疗公司为被申请人，向思明区劳动仲裁委申请仲裁。健康理疗公司于 12 月 19 日提出反仲裁请求。仲裁庭审中，健康理疗公司陈述，石某向黄某发放的补贴有做到健康理疗公司的财务账目中。思明区劳动仲裁委于 2020 年 2 月 17 日作出裁决。黄某主张该裁决书部分事实认定错误，故提起本案诉讼，诉请判令健康理疗公司支付加班工资。健康理疗公司主张其系中医理疗技术培训基地，黄某与石某之间为师徒关系，诉请判决健康理疗公司与黄某之间不存在劳动关系，无需支付基本工资差额、职务补贴、未签订书面劳动合同的二倍工资差额以及经济补偿金，并判令黄某支付学费。

【案件焦点】

黄某与健康理疗公司之间是否建立事实劳动关系。

【法院裁判要旨】

福建省厦门市思明区人民法院经审理认为：首先，黄某根据石某的安排，长期按规定标准为顾客提供保健服务、进行门店装修、买材料、付工钱等，并根据要求接受培训、汇报统计服务客户情况等，石某存在对黄某进行管理并安排工作内容的事实。其次，黄某服务顾客、装修门店均在健康理疗公司分支机构所在地，黄某承担管理分店的职责，石某将向黄某支付的款项计入公司的财务账目且其中一笔转账备注“工资”，即石某系以健康理疗公司法定代表人的名义对黄某进行管理，并发放劳动报酬。最后，健康理疗公司为合法成立的有限责任公司，具备用工主体资格，黄某的主要工作内容——为顾客提供保健调理服务，属于健康理疗公司经营范围。故健康理疗公司与黄某之间符合原劳动和社会保障部《关于确立劳动关系有关事项的通知》第一条规定的情形，双方建立事实劳动关系，应遵守劳动法律法规规定。

福建省厦门市思明区人民法院依照《中华人民共和国劳动法》第四十四条、第五十条、第六十八条，《中华人民共和国劳动合同法》第七条、第十条、

第三十条、第三十八条、第四十六条、第四十七条、第五十条，《中华人民共和国民事诉讼法》第六十四条第一款的规定，判决如下：

一、确认黄某与健康理疗公司于2019年6月21日至2019年11月27日期间存在劳动关系；

二、确认黄某与健康理疗公司于2019年11月28日解除劳动关系；

三、健康理疗公司应于本判决生效之日起七日内向黄某支付2019年6月21日至2019年11月27日期间的基本工资差额9337.38元；

四、健康理疗公司应于本判决生效之日起七日内向黄某支付2019年8月1日至2019年11月27日期间的职务补贴1954.02元；

五、健康理疗公司应于本判决生效之日起七日内向黄某支付2019年7月21日至2019年11月27日期间未订立书面劳动合同的二倍工资差额19720元；

六、健康理疗公司应于本判决生效之日起七日内向黄某支付解除劳动关系的经济补偿金2331元；

七、健康理疗公司应于本判决生效之日起七日内向黄某支付法定节假日加班工资1929.1元；

八、健康理疗公司应于本判决生效之日起七日内向黄某出具解除劳动关系证明；

九、驳回黄某的其他诉讼请求；

十、驳回健康理疗公司的诉讼请求；

宣判后，健康理疗公司提起上诉。福建省厦门市中级人民法院经审理认为：一审判决认定健康理疗公司与黄某之间已建立事实劳动关系，并无不当。石某与黄某虽以师徒相称，但双方并未建立培训合同关系。石某作为健康理疗公司法定代表人对黄某进行管理，指派工作任务、发放劳动报酬等，健康理疗公司又系提供保健调理服务，对工作人员有一定调理技能的要求，在此情况下，石某作为法定代表人及技术带头人，对黄某存在一定的技术培训与交流，高度盖然属于工作业务培训范围，不足以证实双方之间是培训合同关系。健康理疗公司主张石某与黄某之间系师徒关系，并以此为由主张其与黄某不存在劳动关系，缺乏事实和法律依据。

福建省厦门市中级人民法院依照《中华人民共和国民事诉讼法》第一百七十条第一款第一项规定，判决如下：

驳回上诉，维持原判。

【法官后语】

案涉纠纷发生于我国传统理疗行业，黄某与健康理疗公司未订立书面劳动合同，与法定代表人石某以“师徒”相称并接受其技术培训。为保护传统技艺传承发展，在具有“拜师学艺”文化传统的行业，应审慎认定“师徒”关系成立事实劳动关系。本案例依照原劳动和社会保障部《关于确立劳动关系有关事项的通知》第一条规定，全面审查黄某与健康理疗公司的主体资格、隶属关系、业务范围。但该规定较为笼统，在判定“师徒”关系是否为劳动关系时，法院重点从管理强度、劳动性质、劳动强度、劳动报酬等方面认定黄某与健康理疗公司已实际形成高度隶属关系、具备劳动关系的本质特征，从而依法认定双方成立事实劳动关系。本案例切实保护了劳动者的合法权益，有利于引导从事民间传统技艺的用人单位与劳动者依法订立劳动合同、建立劳动关系，有序开展职业培训与教学传承工作。

1. 劳动者受用人单位一定强度的管理

用人单位对劳动者的管理表现为劳动规章制度的适用以及直接的管理和支配。一些规模较小的用人单位不一定有规范的、成文的劳动规章制度，但劳动者仍应遵守不成文的管理规定，此时应综合考察劳动者受用人单位管理的实际情况。本案中，黄某需要按照规定的技术标准和时长向顾客提供服务，在公司微信群中汇报统计每日服务顾客的情况，接受培训并分享心得等，可见黄某实际遵守公司相关管理规范。日常工作中，黄某受“师父”石某的直接管理与支配，而石某时任公司法定代表人，有权代表公司对员工进行直接管理。同时，用人单位对劳动者的管理不能过于松散无序，而应达到一定的管理强度。随着网络的普及，许多用人单位借助微信等社交软件进行日常管理，聊天记录等证据可以辅助判断管理的强度。本案中，黄某长期在健康理疗公司的微信群中汇报每日工作情况，石某多次通过微信要求黄某服务好顾客并指示黄某完成具体工作。综合考察上述汇报、指示的频率与次数，可见健康理疗公司对黄某的劳动管理已达到一定强度。此外，合理的职业培训是劳动管理的应有范畴。健康理疗公司安排黄某从事的保健调理服务对专业技能有较高的要求，为使黄某的劳动达到公司要求的技术标准，法定代表人及技术带头人石某对黄某进行培训，是劳动管理的应有之义，与成立劳动关系并无冲突。

2. 劳动者受用人单位安排从事一定强度的劳动

劳动者在用人单位管理下从事的劳动应当达到一定的频次与强度，区别于以学习培训为目的的实操练习。本案中，黄某在健康理疗公司的管理下，作为技师长期、高频为顾客提供保健服务，四个月内在微信群中统计汇报的服务次数即高达两百余次，此外还按照石某的指示实际从事门店装修、买材料、付工钱等劳动，甚至作为“店长”管理分店。黄某受健康理疗公司安排所从事的劳动显然已达到较高的频次与强度，远超过为学习技术而练习实操的必要频次，黄某所承担的其他工作亦明显超出技术培训的合理范畴。

3. 劳动者领取用人单位发放的劳动报酬

实践中，个别用人单位发放劳动报酬的形式未必严格符合财务规范，对于并非自公司账户直接发放的劳动报酬，应当结合公司账目等财务记录，考察款项是否实际由用人单位发放。本案中，黄某多次向法定代表人石某催讨工资，石某向黄某发放了一定的劳动报酬并曾在转账时备注“工资”。健康理疗公司自认石某向黄某发放的“补贴”计入公司财务账目。黄某实际领取健康理疗公司发放的劳动报酬，与健康理疗公司形成经济上的隶属关系。

综上，黄某与健康理疗公司实际形成高度隶属关系，具备劳动关系的本质属性，同时，双方均具备法定主体资格，黄某的劳动是健康理疗公司业务的组成部分。

编写人：福建省厦门市思明区人民法院　林蕾　朱贝妮

3

关联企业用工混同且均未与劳动者签订劳动合同情形下劳动关系的认定

——赵某诉商贸公司劳动争议案

【案件基本信息】

1. 裁判书字号

山东省淄博市中级人民法院（2021）鲁03民终1779号民事判决书

2. 案由：劳动争议纠纷

3. 当事人

原告（上诉人）：赵某

被告（被上诉人）：商贸公司

【基本案情】

2015年7月21日，商贸公司注册登记成立，法定代表人为李某，经营范围包括果品购销、日用百货、办公用品、农副产品、工艺品、五金交电、化工产品批发、零售等。案外人王某系李某之妻，2015年3月30日开办某礼品网店1。2017年7月6日，某电子商务商行注册成立，企业类型为个体工商户，经营范围为网上销售日用百货、工艺品、食品等。案外人张某系李某岳母，2016年10月23日开办某礼品网店2。

赵某于2018年10月15日被商贸公司法定代表人李某招聘为网络销售客服，其2018年11月至2020年6月期间工资先后由李某之妻王某、李某之岳母张某以及李某本人发放。赵某作为上述网店客服从事接待客户咨询等工作，客服员工工资由李某支付，员工工资在上述网店与商贸公司之间并不进行账目核算，李某、王某均系赵某的工作管理者。赵某从事的网上销售水果、工艺品、礼品、日用百货等以及客服等工作，皆为商贸公司和某电子商务商行业务的组成部分。

2020年5月，赵某要求商贸公司补缴2018年10月以后的社会保险，双方未就相关事宜达成一致，2020年5月26日李某口头将赵某辞退。2020年9月7日，赵某就双方的争议申请劳动仲裁。2020年11月5日，劳动仲裁部门裁决确认原、被告于2019年3月至2020年5月26日期间存在劳动关系，被告向赵某支付二倍工资差额29502.50元。赵某对该裁决不服，诉至法院，请求依法确认原、被告自2018年10月至2020年5月具有劳动关系，并要求被告向赵某支付2018年12月至2019年10月因未签劳动合同二倍工资差额、加班费和赔偿金等费用。

【案件焦点】

关联企业用工混同且均未与劳动者签订劳动合同情形下劳动关系应如何认定。

【法院裁判要旨】

山东省沂源县人民法院经审理认为：本案主要争议焦点为双方是否存在劳动关系及劳动关系的起止时间。赵某提交的转账记录载明，2018年10月至2019年2月期间赵某工资由某电子商务商行的经营者王某支付，2019年3月至2020年5月期间的工资除2019年5月的工资由李某的岳母张某支付外，其余均由李某支付，故根据该时间段的工资支付情况，能够认定2019年3月至2020年5月26日期间原、被告存在劳动关系，2018年10月至2019年2月期间的工资由王某支付。虽然王某与被告法定代表人李某是夫妻关系，但王某是某电子商务商行的经营者，两人各有自己独立的经营，且该时间段的工资由王某不间断地支付，故不能认定原、被告在该时间段存在劳动关系，因此对赵某请求确认双方2018年10月至2019年2月存在劳动关系的请求不予支持。据此，对于赵某要求的2019年4月至2019年10月的二倍工资差额29502.50元予以支持。

赵某主张的其他费用证据不足或没有事实和法律依据，不予支持。

山东省沂源县人民法院根据《中华人民共和国劳动合同法》第二条、第七条、第八十二条，《中华人民共和国劳动争议调解仲裁法》第二条、第六条的规定，判决：

一、确认赵某与商贸公司自2019年3月至2020年5月26日之间存在劳动关系；

二、商贸公司支付赵某二倍工资差额29502.50元；

三、驳回赵某其他诉讼请求。

赵某持一审起诉意见提起上诉。山东省淄博市中级人民法院经审理认为：李某招聘赵某从事网店客服工作，赵某的工资先后由王某、张某、李某发放，工作内容交叉重叠，赵某的工作地点相同，商贸公司和某电子商务商行的人员及管理混同，甚至财务核发工资时两企业也不进行核算，难以区分发放主体。据此，商贸公司和某电子商务商行构成用人单位主体、用工混同，赵某交替轮换为商贸公司和某电子商务商行工作，同时接受两家关联企业的交叉管理。因商贸公司和某电子商务商行均未与赵某签订劳动合同，亦未缴纳社会保险，赵某未在某电子商务商行的注册地工作，赵某又主张由商贸公司承担责任，故认定赵某与商贸公司2018年10月15日至2020年5月26日期间存在劳动关系，商贸公司应依法向赵某支付相关劳动待遇。赵某主张的加班费经审查共计12318.53元，由商贸公司支付。因双方未签订书面劳动合同，商贸公司应自2018年12月至2019年10月向赵某支付二倍工资差额38477.90元（2300元+3617.79元×10个月）。

山东省淄博市中级人民法院依照《中华人民共和国劳动合同法》第八十二条第一款、第八十七条，《中华人民共和国民事诉讼法》第一百七十条第一款第二项的规定，判决如下：

一、撤销一审民事判决；

二、确认赵某与商贸公司自2018年10月15日至2020年5月26日期间存在劳动关系；

三、商贸公司于本判决生效后十日内支付赵某二倍工资差额 38477.90 元、加班费 12318.53 元；

四、驳回赵某的其他诉讼请求。

【法官后语】

关联企业混同用工即关联企业将劳动者安排在各关联企业之间流动使用，劳动者同时接受各关联企业的交叉管理。本案涉及的核心问题在于关联企业混同用工且均未与劳动者签订劳动合同情形下劳动关系应如何认定，司法实践中对此亦存有争议。本案一审并未认定用工混同，而二审认定赵某交替轮换为商贸公司和某电子商务商行工作，同时接受两家关联企业的交叉管理，商贸公司和某电子商务商行构成用人单位主体、用工混同，并在综合赵某的工作地点及其诉讼请求主张等因素的基础上认定其与商贸公司存在劳动关系。要想在司法实践中厘清这一问题，关键在于注意把握以下几个方面：

第一，关于关联企业的正确认定与把握问题。《中华人民共和国税收征收管理法实施细则》第五十一条将“关联企业”界定为有下列关系之一的公司、企业和其他经济组织：(1) 在资金、经营、购销等方面，存在直接或者间接的拥有或者控制关系；(2) 直接或者间接地同为第三者所拥有或者控制；(3) 在利益上具有相关联的其他关系。依据上述规定，结合审判实践，人民法院对于“关联企业”的认定具体应当从如下几方面加以把握：

一是业务关联。业务关联是指公司与股东或其他公司之间的经营业务、经营行为、交易方式、价格确定等持续关联，简言之就是从事同一业务。外界无法分清其交易的对象到底是哪个公司，故对于外界交易的对方来讲，业务关联亦称为主体关联。

二是人事关联。人事关联是指公司的股东和高级管理人员等与其他公司的同类人员相互交叉。公司作为拟制法律主体，其意志通过公司的股东和高级管理人员表达。如果公司的上述人员与其他公司的同类人员相同，各公司之间尽管形式上独立，但实质上互为一体。其主要表现在：公司之间董事相互兼任；高级管理人员统一调配和任命；公司与股东或多个不同公司的董事、经理完全一致，甚至雇员也完全一致，即“一套人马，多块牌子”。

三是财产关联。财产关联是指公司的财产不能与其他公司的财产进行明确的区分。公司财产与其他公司财产的分离是公司人格独立的基础。只有以财产分离为前提，公司才能拥有自己独立的财产并以此独立承担债务。

第二，劳动者与用人单位之间劳动关系的正确认定与把握问题。劳动关系是指用人单位与劳动者之间依法签订劳动合同，劳动者接受用人单位的管理，从事用人单位安排的工作，成为用人单位的成员，从用人单位定期领取劳动报酬的法律关系。构成劳动关系的两个主体即用人单位和劳动者之间不仅具有财产关系（或者说经济关系），而且更重要的是双方具有人身上的从属性，即行政隶属关系，亦即劳动关系确立后，劳动者除要向用人单位提供劳动外，还必须接受用人单位的管理，遵守用人单位的规章制度并服从其安排等，从而成为用人单位稳定的内部成员。司法实践中确认劳动者与用人单位之间是否构成劳动关系，其关键和重点就在于劳动者与用人单位之间是否存在劳动法上的隶属关系。“隶属性”是劳动关系的本质特性，具体包括人身、经济和组织上的隶属性。“人身隶属性”是指劳动关系确立后，劳动者除向用人单位提供劳动外，必须接受用人单位的管理，遵守用人单位的规章制度并服从其安排等；“经济隶属性”表现在劳动者通过劳动换取劳动报酬，用人单位要对劳动者支付劳动报酬；“组织隶属性”是指劳动关系存在期间，劳动者始终作为用人单位稳定的内部成员，接受用人单位的指挥与管理。因此，在未订立书面劳动合同情形下，如果能够证明双方之间存在上述人身、经济和组织上的隶属性，则依法应当认定双方存在劳动关系；如果不能证明双方之间存在上述三种隶属性，则不应认定双方存在劳动关系。

在关联企业混同用工的情形下，如果劳动者与其中一个关联企业订立劳动合同，则根据法律规定可以认定劳动者与该关联企业就劳动关系的建立达成合意，对此可按劳动合同确定双方之间存在劳动关系。在劳动者未与其中任何一个关联企业订立劳动合同的情形下，司法实践中应当综合工资发放、社会保险缴纳情况、工作地点、工作内容等因素综合判断劳动者与用人单位之间是否存在接受用人单位管理、遵守用人单位的规章制度并服从其安排的人身隶属性，支付劳动报酬的经济隶属性，作为用人单位的稳定的内部成员、接受用人单位的指挥与管理的组织隶属性等劳动法上的隶属关系，来认定劳动者与哪个关联企业之间存在劳动关系，从而维护劳动者的合法权益。在劳动者与两个以上关联企业均符合劳动关系特征的情形下，劳动者对于劳动关系的确认享有请求权，但应当注意，劳动者对于劳动关系项下的劳动权益不能重复享受。

编写人：山东省淄博市中级人民法院　荣明潇

山东省淄博市张店区人民法院　刘晓辉

4

劳动关系是否成立属法定范畴，应坚持实质审查原则

——毛某诉供应管理公司劳动争议案

【案件基本信息】

1. 裁判书字号

北京市朝阳区人民法院（2021）京 0105 民初 58107 号民事判决书

2. 案由：劳动争议纠纷

3. 当事人

原告：毛某

被告：供应管理公司

【基本案情】

毛某于 2020 年 1 月 22 日入职供应管理公司，担任外卖骑手，双方签订了《劳务协议》，约定毛某接受该公司《骑手手册》《员工手册》《公司管理制度》的管理。毛某通过手机应用程序接单派送，上下班需打卡考勤，完成在线学习

任务，根据跑单量按月结算工资报酬。

毛某主张双方建立劳动关系，但未签订书面劳动合同，其月工资7000元，供应管理公司未及时足额支付劳动报酬并于2020年9月10日口头以支付不了工资为由将其辞退。毛某曾就上述争议申请劳动仲裁，2021年4月1日，北京市朝阳区劳动人事争议仲裁委员会驳回了毛某的仲裁请求。毛某不服，遂诉至法院。

毛某提出诉讼请求：1. 确认2020年1月22日至2020年9月10日双方之间存在劳动关系；2. 供应管理公司支付2020年8月1日至2020年8月31日工资差额1600元；3. 供应管理公司支付2020年2月22日至2020年9月10日未签订书面劳动合同双倍工资差额49700元；4. 供应管理公司支付违法解除劳动关系赔偿金14000元。供应管理公司辩称，双方是劳务关系，签订劳务协议，性质是非全日制劳务用工协议。毛某根据自己的空余时间通过手机应用程序决定是否参与揽件，配送由其自行决定，其为非全日制的兼职骑手，配送时间不定，流动性很大。劳务费是根据订单工作量结算。双方之间是平等的合作关系，不存在管理与被管理、指挥与被指挥，仅依据毛某的接单量支付相关劳务报酬，不存在行政隶属关系以及相关人身关系，毛某的工作时间地点全由其个人掌控。毛某随意停止送单，解除劳务关系，系其本人意思表示，与该公司无关，故双方之间系劳务关系，其随意解除劳务关系不应当认定双方之间存在劳动关系，公司无需支付未签订劳动合同的双倍工资以及违法解除赔偿金。

【案件焦点】

双方是否存在劳动关系。

【法院裁判要旨】

北京市朝阳区人民法院经审理认为：毛某与供应管理公司争议的焦点是双方是否存在劳动关系。供应管理公司认可毛某系该公司所属站点的派送员，主张该公司与毛某系劳务关系。该公司提交的《劳务协议》虽名为“劳务”，但其内容多次使用“劳动合同法”“劳动合同”“劳动争议”等，且约定毛某接受该公司《骑手手册》《员工手册》《公司管理制度》的管理，故该协议具有劳动合同的性质。对供应管理公司关于双方系劳务关系的主张，不予采信。毛某与供应管理公司符合法律、法规规定的主体资格；供应管理公司的各项劳动规章制度适用于毛某，毛某受供应管理公司的劳动管理，从事供应管理公司安排的有报酬的劳动；毛某提供的劳动是供应管理公司业务的组成部分。故对毛某关于其与供应管理公司存在劳动关系的主张，予以采信。鉴于双方已签订具有劳动合同性质的协议，故对毛某关于要求供应管理公司支付未签订劳动合同的双倍工资差额的诉讼请求，不予支持。

供应管理公司作为用人单位未提交证据证明毛某的入职离职时间、月工资标准、工资支付情况，故对毛某关于其于2020年1月22日入职、供应管理公司支付的工资存在1600元差额、2020年9月10日双方劳动关系解除的主张，予以采信。2020年1月22日至2020年9月10日双方存在劳动关系，供应管理公司支付毛某2020年8月1日至8月31日的工资差额1600元。毛某提交的微信聊天记录显示其称“我不想干外卖行业了”，未能证明系由供应管理公司向其发出解除劳动关系且解除理由不符合法律规定或法定程序，故对毛某要求供应管理公司支付其违法解除劳动合同赔偿金的诉讼请求，不予支持。

北京市朝阳区人民法院依据《中华人民共和国劳动合同法》第三十条、《中华人民共和国劳动争议调解仲裁法》第六条之规定，判决如下：

一、确认被告供应管理公司与原告毛某2020年1月22日至2020年9月10日期间存在劳动关系；

二、被告供应管理公司于本判决生效之日起三日内支付原告毛某2020年8月1日至8月31日期间工资差额1600元；

三、驳回原告毛某的其他诉讼请求。

宣判后，双方均未上诉，该判决已生效。

【法官后语】

互联网平台用工模式下，劳动关系法律要件审查的关键是看双方从属关系是否足够紧密，认定劳动关系存在与否需坚持实质审查原则。劳动关系是否成立属法定范畴，双方之间是否成立劳动关系的根本在于“合作”模式是否符合劳动关系的法律要件，而不在于双方对于法律关系的“认识”。毛某虽然与供应管理公司签订了否认劳动关系的《劳务协议》，但法院仍以人格从属性标准作为核心要素审查个人与单位之间是否事实上构成劳动关系。

在劳动关系的确认规则上，我国现行有效的规范是原劳动部2005年发布的《关于确立劳动关系有关事项的通知》。作为法律适用机构，司法机关不能超越现有法律规范，该文件仍是司法裁判认定劳动关系的主要依据。司法实践应遵循现有法律规则体系，同时在裁判尺度上，应坚持“二维理念”。

第一，保护从业者劳动权益的理念，坚持实质审查原则。保护劳动者的基本权益是劳动法基本原则，鼓励用工模式的发展，不应也不能以舍弃劳动者的基本权益为代价。实践中，有的互联网平台通过“服务协议”“合作协议”“劳务协议”等格式条款，与从业者约定双方不属于劳动关系。对此，应以严格的“意思自治”标准判断协议条款的效力。从业者与互联网平台之间的“合作”模式如果符合劳动关系法律要件，在无证据证明格式条款系互联网平台与从业者释明沟通后，从业者在充分理解、完全自愿的基础上签署的情况下，该协议内容不能推翻双方之间成立劳动关系的事实。

第二，尊重共享经济用工模式的理念，灵活把握传统裁判规则。司法裁判则应在合法的前提下尊重互联网平台用工模式，灵活把握传统裁判规则，避免僵化适用法律，阻碍先进事物的发展。针对劳动关系确认的核心争议，应意识到在互联网平台用工中，经济从属性出现了分离情形，不能再成为左右劳动关系成立与否的关键，而应以人格从属性标准把握劳动关系认定的核心要素。人格从属性可以理解为劳动者对于用人单位的人身依附特性。互联网平台用工是否构成劳动关系的关键应在于从业者对于互联网平台是否具有紧密的人身依附性。如果互联网平台的从业者可自主选择工作时间和工作地点，不需要坐班，没有专门、固定的办公场所，有选择业务的自主权，且平台对从业者的管理松散，从业者对于平台缺乏足够的人身依附性，将使得双方无法构成劳动关系。

需指出的是，上述裁判并非否认协议签订的必要性。我们鼓励用人单位与从业者通过签订多种形式的劳动合同或协议，明确双方的权利和义务，但签订的内容需与实际情况相符，且应是经充分磋商和沟通后双方真实意思的体现，而不应是单方免除己方法定责任、排除他方权利的条款，更不能违反法律、行政法规强制性规定。

编写人：北京市朝阳区人民法院　肖唯

5

劳动合同缔约过程中用人单位过失的责任认定及赔偿范围

——苏某诉土地开发公司劳动争议案

【案件基本信息】

1. 裁判书字号

广东省广州市中级人民法院（2021）粤 01 民终 4394 号民事判决书

2. 案由：劳动争议纠纷

3. 当事人

原告（上诉人）：苏某

被告（被上诉人）：土地开发公司

【基本案情】

2020 年 8 月 24 日，苏某向广州市劳动人事仲裁委员会申请劳动仲裁，认为土地开发公司对苏某发放入职通知书，通知苏某入职，待苏某与原公司解除劳动合同后，土地开发公司以公司无编制名额为由，拒绝苏某入职，要求土地开发公司赔偿损失。同日，该委员会以申请人（被申请人）主体不适格为由决定不予受理。苏某不服，遂提起本案诉讼。

苏某提交的证据显示，土地开发公司人事赵某于 2020 年 7 月 6 日告知苏某可以准备辞职事宜，双方还就入职时间、工资构成及数额和试用期等进行了沟通，赵某表示年薪是12万~15万元，转正后每月固定税前9600元。同日下午，赵某向苏某发送了《新员工入职通知（苏某）》《员工个人信息表》。

2020年8月6日，苏某询问："赵姐您好，想问下入职的事宜，现在有没有什么新进展呢?"赵某回复"没有""别等了""我的个人建议"。

苏某陈述其在原公司的收入为每月12300元，并确认其于2020年入职到新用人单位，月薪为税前9000元。

【案件焦点】

在双方磋商订立劳动合同阶段，土地开发公司有无过错，是否应承担相应的赔偿责任及赔偿标准的问题。

【法院裁判要旨】

广东省广州市越秀区人民法院经审理认为：根据双方诉辩意见以及提交的证据，双方处于订立劳动合同磋商阶段，并未实际签订劳动合同。在苏某提供的2020年7月10日的聊天记录中，有土地开发公司的其他工作人员明确告知其聘用入职等仍在办理请示手续，建议苏某暂缓从原工作单位离职，但苏某并未就此作出处理。且苏某提交的入职通知未有土地开发公司签章，不足以认定具有法律效力，故苏某主张土地开发公司赔偿损失，理据不足。

广东省广州市越秀区人民法院依照《最高人民法院关于适用〈中华人民共和国民事诉讼法〉的解释》第九十条之规定，作出如下判决：

驳回苏某的诉讼请求。

苏某不服一审判决，提起上诉。广东省广州市中级人民法院经审理认为：苏某与赵某的聊天记录显示，2020年7月6日赵某主动要求苏某从原单位离职，并告知苏某的入职时间、年薪、试用期、是否需要考勤等，并向苏某发送了《新员工入职通知（苏某）》《计划生育人员信息采集卡》《员工个人信息表》等入职材料。赵某作为土地开发公司的人事，其上述行为足以令人相信土地开发公司决定聘用苏某，苏某基于上述事实，于同日向原公司申请离职。但土地开发公司最终因自身原因未与苏某建立劳动关系，故土地开发公司在与苏某磋商建立劳动关系的过程中未尽审慎义务，明显违背了诚实信用原则，存在过错，导致苏某从原单位离职，又未能顺利入职土地开发公司，给苏某造成损失，应承担相应的赔偿责任。

关于苏某的损失认定问题，苏某未提供充分证据证明其损失。结合苏某从原用人单位离职的时间、选择入职土地开发公司的原因、苏某在原用人单位的工资情况、后入职新用人单位的时间、工资情况等因素，酌定苏某的损失为20000元。

广东省广州市中级人民法院依据《中华人民共和国合同法》第四十二条、《中华人民共和国民事诉讼法》第一百七十条第一款第二项规定，作出如下判决：

一、撤销一审判决；

二、土地开发公司于判决生效之日起十日内赔偿苏某20000元；

三、驳回苏某的其他诉讼请求。

【法官后语】

现今就业环境下，因用人单位在劳动合同缔约过程中出现不诚信行为导致劳动者合法权益受到损害的现象屡见不鲜。本案即为用人单位与劳动者在劳动合同订立磋商阶段，因用人单位原因放弃继续订立劳动合同，给劳动者造成损失从而引发争议的一个典型案例。对于劳动合同订立过程中可能产生的问题，现行法律法规并未作出系统具体的规定，亦未明确提出“劳动合同缔约过失责任”这一概念，对此应当引起重视。

1. 劳动合同缔约过失责任的概念

缔约过失责任，是指在合同订立过程中，一方因违背其依据诚实信用原则所产生的义务，而导致另一方信赖利益损失，应承担的损害责任。[①] 虽劳动法领域尚未对劳动合同缔约过失责任作出明确系统的规定，但参照缔约过失责任

---

① 王利明：《合同法研究（第一卷）》，中国人民大学出版社2015年版，第337页。

的概念，笔者认为，劳动合同缔约过失责任应当是指，在劳动合同订立过程中，缔约一方实施了违反因诚实信用原则产生的义务的行为，从而导致另一方信赖利益受损，故应承担相应的损害赔偿责任。

2. 劳动合同缔约过失行为的分类

根据劳动合同的状态，劳动合同缔约过失责任应包括两种情形：一是劳动合同不成立时；二是劳动合同无效或部分无效时。除《中华人民共和国劳动合同法》第二十六条规定的以欺诈、胁迫的手段或乘人之危，使对方在违背自己意思的情况下订立劳动合同的情形外，参照《中华人民共和国民法典》第五百条，造成劳动合同缔约过失的行为还应包括：假借订立劳动合同之名恶意进行磋商；用人单位泄露劳动者个人隐私；劳动者泄露或不正当使用商业秘密；无理由取消录用等劳动合同不成立时的缔约过失责任。本案中缔约双方尚未签订书面劳动合同，应属劳动合同不成立时的劳动合同缔约过失责任。

3. 劳动合同缔约过失责任的归责原则

在侵权责任体系中，我国现行法律规定的归责原则主要有过错责任（包括过错推定）、无过错责任和公平责任。违约责任体系中，则以无过错责任为原则，以过错责任为补充。具体到劳动合同缔约过失责任，《中华人民共和国劳动合同法》第八十六条规定了以过错责任为内容的赔偿责任，即劳动合同缔约过失责任亦应采用过错责任原则。

笔者认为，鉴于劳动者与用人单位地位天然不平等的特点，考虑到双方在举证能力上的差异，劳动合同缔约过失责任的归责原则应区别于一般民事合同。即用人单位与劳动者在缔结、磋商劳动合同时产生的纠纷，用人单位应适用过错推定的归责原则，劳动者则适用过错责任的归责原则。具体而言，根据前述造成劳动合同缔约过失的行为不同，所适用的归责原则亦应不同：（1）对于恶意磋商的行为，适用过错责任原则，主张一方应证明对方存在恶意磋商的主观恶意；（2）对于用人单位泄露劳动者个人隐私及劳动者泄露或不当使用用人单位商业秘密的，适用无过错责任原则；（3）对于用人单位无正当理由取消录用的，适用无过错责任原则；（4）对于因欺诈、胁迫、乘人之危等导致合同无效或部分无效的，适用过错责任原则。

4. 劳动合同缔约过失责任的赔偿范围

缔约过失责任是一种典型的弥补性的民事责任，也有一定赔偿范围。目前关于民事合同领域缔约过失责任的赔偿范围主要有两种观点：一是信赖利益说。缔约上的过失行为所侵害的对象是信赖利益，因此，只有在信赖人遭受利益的损失，且此种损失与缔约过失有直接因果关系的情况下，信赖人才能给予缔约上的过失请求损害赔偿。① 二是信赖利益+固有利益说。若违反保护义务，侵害相对人的身体健康或所有权，而此处请求亦可认为得构成契约上的过失责任时，则加害人所应赔偿的，系受害人于其健康或所有权所受一切损失，即所有维护利益。②

关于劳动合同缔约过失责任的赔偿范围，笔者认为，在劳动法领域引入劳动合同缔约过失责任的初衷是保护劳动合同订立双方，特别是处于弱势地位的劳动者因信赖将与用人单位成立劳动关系而做出的一系列行为，包括但不限于为缔约支出的交通费、从原单位辞职、拒绝其他单位的招聘等。故而，劳动合同缔约过失责任的赔偿范围应仅限于信赖利益损失。具体而言，包括直接损失、间接损失。其中，直接损失是指当事人为订立劳动合同支出的交通费、通信费、住宿费等实际支出；间接损失则主要包括两个方面，一方面是劳动者因信赖将与用人单位建立劳动关系，应用人单位要求从原单位辞职的损失，另一方面是劳动者拒绝其他单位“橄榄枝”的隐形损失。

此处，还有一个问题值得注意，即劳动合同缔约过失责任的赔偿形式是什么。合同缔约过失责任的赔偿形式包括赔礼道歉、赔偿损失、继续履行等。赔偿损失在劳动合同缔约过失责任中的适用毋庸置疑，但鉴于劳动合同较强的人身附属性，若劳动者要求用人单位继续履行，与其订立劳动合同是否应予支持？对此，笔者认为可参照劳动合同法关于用人单位违法解除劳动关系，劳动者要

① 王利明：《违约责任论》，中国政法大学出版社 1997 年版，第 602 页。

② 王泽鉴：《民法学说与判例研究（第一册）》，中国政法大学出版社 1998 年版，第 100~101 页。

求继续履行的处理规则处理。

编写人：广东省广州市中级人民法院 康玉衡 赵洋洋

6

实际控制人与公司所签订劳动合同之效力甄别

——陈某诉支付服务公司劳动合同案

【案件基本信息】

1. 裁判书字号

上海市第一中级人民法院（2021）沪01民终10803号民事判决书

2. 案由：劳动合同纠纷

3. 当事人

原告（上诉人）：陈某

被告（被上诉人）：支付服务公司

【基本案情】

支付服务公司设立于2006年2月9日。H公司系支付服务公司100%控股股东，C某和陈某系H公司股东，两人分别持有H公司2%和98%的股权。C某系陈某表弟。

2015年11月5日，陈某与支付服务公司（支付服务公司签字代表为C某）签订无固定期限的《劳动合同》，约定：1. 除双方协商一致解除或乙方（即陈某）提出解除外，甲方（即支付服务公司）不可以任何理由撤销、解除、终止，否则应向乙方赔偿自违约日起至国家规定乙方退休年龄的所有合同约定薪资。2. 甲方对乙方无任何工作时间、工作地点的要求；只要甲方当年盈利，甲方必须向乙方发放金额不少于乙方当年税后月薪的三倍的年终奖金，且乙方次年薪资涨幅不低于10%（除非乙方书面同意放弃）。3. 甲方须每月向乙方支付税后工资58350元、交通补贴（2016年12月税后7万元，2017年起每月税后交通补贴额为前一年标准的110%）、差旅补贴（6.8万元/月，且每年上调10%以上）。

2015年12月9日，陈某就所持H公司股份签订《股权转让协议》。经多次股权变更，至2016年1月28日，陈某不再持有H公司股份。

2017年11月14日，支付服务公司要求陈某提供《劳动合同》原件，陈某于11月20日通过电子邮件发送了《劳动合同》。

2018年1月30日，支付服务公司向陈某发出通知，明确陈某担任公司公共关系顾问，负责公司公共关系维护拓展等工作。

2016年1月至2019年11月期间，支付服务公司按月支付陈某工资，并为陈某缴纳了社会保险。

2020年1月9日，支付服务公司经控股股东董事会决议，决定解除与陈某及团队成员的劳动关系、撤销其公共关系顾问岗位。

2020年1月10日，支付服务公司向陈某出具《解除劳动关系通知书》，以陈某严重违反公司规章制度为由，作出解除决定。

2020年4月16日，陈某申请劳动仲裁，要求恢复与支付服务公司的劳动关系，支付服务公司按照税前工资113860元/月标准支付陈某仲裁及诉讼期间的工资，并支付陈某2016年至2019年期间工资差额、年终奖、补贴等合计7153734.07元。上述请求未得仲裁支持，陈某遂以相同请求诉至法院。

【案件焦点】

支付服务公司与其实际控制人陈某签订的劳动合同，在支付服务公司控股股东股权结构发生变化后，对支付服务公司是否具有约束力。

【法院裁判要旨】

上海市浦东新区人民法院经审理认为：系争《劳动合同》难以认定系用人单位的真实意思表示，对支付服务公司不具有约束力。陈某基于《劳动合同》

提出的各项诉讼请求，无事实依据。支付服务公司作出的解除决定违法，但双方劳动关系不宜恢复。

上海市浦东新区人民法院依照《中华人民共和国劳动合同法》第三条第一款、第三十条第一款的规定，判决如下：

一、支付服务公司于判决生效之日起十日内支付陈某 2019 年 12 月税后工资 77663 元；

二、驳回陈某的其余诉讼请求。

陈某不服一审判决，提起上诉，主张系争《劳动合同》合法，投资人变更不影响劳动合同继续履行，支付服务公司新股东也知晓《劳动合同》内容，双方已实际履行《劳动合同》近四年，请求改判支持其一审全部诉讼请求。

上海市第一中级人民法院经审理认为：其一，从《劳动合同》的签订时间、主体及背景看，陈某作为股权出售前支付服务公司的实际控制人应当知晓《劳动合同》所设定义务与股权收购方之利益相关联，应对《劳动合同》向股权收购方负有披露义务，但未能举证证明在股权收购时已履行相应披露义务。其二，从《劳动合同》内容看，其中不考虑陈某实际工作绩效，将陈某年终奖金、薪资涨幅与支付服务公司是否盈利相关联之条款约定更类似于公司利润之分配，劳动合同解除及违约责任等条款远超出正常劳动关系下用人单位与劳动者之间权利义务的设定范围，即便支付服务公司股权收购方在收购后同意留用陈某，亦实难认定《劳动合同》所设定义务属于收购方之合理预期范围。其三，从《劳动合同》实际履行情况看，在案证据不能证明支付服务公司系按照该《劳动合同》约定条款履行相应义务。其四，投资人变更不影响劳动合同继续履行之法律规定的适用，应以劳动合同合法有效为前提。根据《中华人民共和国劳动合同法》第二十六条之规定，违反法律、行政法规强制性规定的劳动合同无效，再依据系争《劳动合同》签订当时有效的《中华人民共和国民法通则》第五十八条之规定，恶意串通，损害国家、集体或者第三人利益的民事行为无效。因此，系争《劳动合同》对控股股东股权结构发生变化后的支付服务公司不具有约束力。

上海市第一中级人民法院依照《中华人民共和国民事诉讼法》第一百七十条第一款第一项之规定，判决如下：

驳回上诉，维持原判。

【法官后语】

实际控制人，应属商法之概念范畴。劳动法中并无对实际控制人之特别限制。公司法等商法虽对实际控制人进行了规制，但主要是从特定行为表现及损失赔偿责任的角度予以限制，并未设立实际控制人与公司所签订合同效力认定的明确规则。

依据传统民法理论，平等、自愿原则应当是民法的基本原则。违反平等、自愿原则的合同，其效力存在瑕疵。也因此，有观点认为，实际控制人对公司决策具有影响和控制力，其与公司签订的劳动合同不能视为公司的真实意思表示，应为无效。对此，笔者认为不宜一概作此认定，实际控制人与公司签订的劳动合同并不当然无效。主要理由为：其一，从法律条文规范角度而言，并不能得出实际控制人与公司所签订劳动合同当然无效之结论。其二，从民法的意思自治原则角度而言，并无全面禁止实际控制人与公司签订劳动合同行为之必要。其三，从商法的制度设计比较角度而言，亦无认定实际控制人与公司所签订劳动合同绝对无效之特别需求。

在具体甄别相关劳动合同效力时，可注意把握如下原则：

一是，以劳动法合同无效之规定为立足点，着重审查是否存在违反法律、法规强制性规定之情形。《中华人民共和国劳动合同法》第二十六条第一款对劳动合同无效或者部分无效的情形作了明确规定。对于实际控制人签订的劳动合同，考虑到实际控制人对公司的控制力及一般理性经济人对己方利益之追求，设立免除用人单位法定责任、排除劳动者权利或低于劳动法保护基准条款的情形，应较为罕见。因而在判断相关劳动合同效力时，更应注重对是否违反法律、行政法规强制性规定进行审查。如《中华人民共和国民法典》第一百四十六条有关虚假表示与隐藏行为的效力条款、第一百五十四条有关恶意串通的民事法律行为的效力条款以及公序良俗原则等法律规定，均可成为认定实际控制人与公司所签订劳动合同无效之依据。

本案中，陈某明知支付服务公司将被收购，却与之签订明显有损股权收购方利益之《劳动合同》，存在恶意串通损害第三人利益之法定无效情形。

二是，合同整体效力与具体条款效力之审查并重，尤应注意与公司利润相关条款之检视。随着市场经济、公司制度的发展，股东将更多的管理权让渡给董事会、高级管理人员，但其通过承担认缴出资风险换取公司经营利润收益之根本目的并无变化。也因此，《中华人民共和国公司法》第三十七条明确规定，审议批准公司的利润分配方案属于股东会的职权范围。如果实际控制人与公司签订的劳动合同以劳动报酬为名、行规避股东会决议分配公司利润之实，相关条款应因损害股东权益而无效。同时，虽然公司盈余分配属于公司自治范畴，司法一般不予干预，但是公司资本的稳定性直接影响到公司债权人的利益。也因此，《中华人民共和国公司法》第一百六十六条对于公司税后利润分配作了诸多强制性规定，如实际控制人签订的劳动合同条款违反上述规定的，相关条款亦应属无效。

案涉《劳动合同》中不考虑陈某实际工作绩效，将陈某年终奖金、薪资涨幅与支付服务公司是否盈利相关联之条款约定，更类似于对公司利润之分配设定，有违相关法律的强制性规定，具体条款亦存在无效情形。

编写人：上海市第一中级人民法院　孙少君

7

依法设立的分公司具有用人主体资格，可以与劳动者建立劳动关系

——徐某诉安保公司劳动争议案

【案件基本信息】

1. 裁判书字号

北京市第一中级人民法院（2021）京01民终8322号民事判决书

2. 案由：劳动争议纠纷

3. 当事人

原告（上诉人）：徐某

被告（被上诉人）：安保公司

第三人：安保北京分公司

【基本案情】

徐某与孙某系夫妻，孙某于2020年1月17日工作中突发疾病，经抢救无效去世。徐某在一审中主张，孙某经周某介绍于2019年9月7日入职安保公司，岗位为保安队长，工作地点为某产业园，工作中接受周某及产业园领导的管理，故请求确认孙某与安保公司存在劳动关系。徐某在二审中进一步主张，孙某从事的保安工作是安保北京分公司负责的业务范围，受安保北京分公司管理，而安保北京分公司是安保公司的分公司，依据《中华人民共和国公司法》以及《中华人民共和国民法典》等规定，分支机构以自己的名义从事民事活动，产生的民事责任由法人承担。据此，安保北京分公司不具备用工主体资格，其法律责任应由安保公司承担，故应认定孙某与安保公司之间存在劳动关系。

安保公司主张其与孙某之间不存在劳动关系，并称周某是其下属安保北京分公司的员工。安保北京分公司则主张其与仓储公司签订有《保安服务合同》，为仓储公司提供保安服务，周某与其公司系合作关系。周某到庭述称：其与安保北京分公司之间是合作关系，其负责找保安，对保安进行管理，安保北京分公司会与保安签署劳动合同；因为孙某提供的身份信息虚假，安保北京分公司没有与其签署劳动合同；所有保安的工资都由其发放，从其与安保北京分公司的合作费中支出。徐某、安保公司、安保北京分公司对周某的上述陈述均无异议。

【案件焦点】

孙某是为安保公司还是为安保北京分公司提供劳动，其与哪一方建立了劳动关系。

【法院裁判要旨】

北京市海淀区人民法院经审理认为：孙某从事的保安工作系安保北京分公司的业务范围，安保北京分公司负责对孙某进行管理，支付工资的周某自述通过信息审核的保安均会与安保北京分公司签订劳动合同、办理入职手续，且安保北京分公司具备用人单位的主体资格，故徐某要求确认孙某与安保公司存在劳动关系无事实依据。

北京市海淀区人民法院依照《中华人民共和国劳动法》第七十九条之规定，判决如下：

驳回徐某的诉讼请求。

徐某不服一审判决，提起上诉。北京市第一中级人民法院经审理认为：主张法律关系存在的当事人，应当对产生该法律关系的基本事实承担举证证明责任。而《中华人民共和国劳动合同法》第七条规定，用人单位自用工之日起即与劳动者建立劳动关系。因此，徐某主张孙某与安保公司存在劳动关系，则需要就安保公司对孙某存在劳动法上的用工承担举证证明责任。但是一方面，徐某认可孙某通过周某介绍被安保北京分公司招聘为保安，在某产业园从事保安工作；另一方面，徐某自认，孙某从事由安保北京分公司安排的、受安保北京分公司管理的、有报酬的劳动。也就是说，徐某的陈述以及其他在案证据都将对孙某进行劳动法上用工的主体指向了安保北京分公司，而不是安保公司。因此，从举证角度看，徐某未能证明孙某与安保公司曾存在劳动关系。

徐某主张，依据法律规定，分支机构以自己的名义从事民事活动，产生的民事责任由法人承担，据此，安保北京分公司不具备用工主体资格，其法律责任应由安保公司承担，故应当认定孙某与安保公司之间存在劳动关系。但是，民事责任的承担主体与劳动关系中的用工主体是两个不同的法律概念，并不必然具有同一性。《中华人民共和国劳动合同法实施条例》第四条规定，劳动合同法规定的用人单位设立的分支机构，依法取得营业执照或者登记证书的，可以作为用人单位与劳动者订立劳动合同。本案中的安保北京分公司即属于由安保公司设立的、依法取得营业执照的分支机构，因此其具备与劳动者订立劳动合同、建立劳动关系的主体资格。

北京市第一中级人民法院依照《中华人民共和国民事诉讼法》第一百七十条第一款第一项规定，判决如下：

驳回上诉，维持原判。

【法官后语】

在我国，出于保护劳动者权益的目的，并不是所有的民事主体都有招用劳动者、与之建立劳动关系的资格，典型如没有登记为个体户的自然人就不具备这样的资格。而具有与劳动者建立劳动关系资格的组织或者个体户被特定称为"用人单位"。

按照用人单位用人资格的完整与否，可以将用人单位分为完全资格的用人单位和不完全资格的用人单位。一般情况下，用人单位具有完全的用人资格，依法可以独立行使全部用人权利和履行全部用人义务。而在法定的特殊情形下，有的用人主体只具有部分用人资格。例如，在劳务派遣中，派遣单位和用工单位都是不完全资格用人单位，一个完整的用人资格被分为两个不完整的部分。又如，《中华人民共和国劳动合同法实施条例》第四条规定，用人单位设立的分支机构，依法取得营业执照或者登记证书的，可以作为用人单位与劳动者订立劳动合同。在这里，依法取得营业执照或者登记证书的分支机构，不完全拥有用人资格。[①] 而本案中的安保北京分公司即属于此类拥有不完全用人资格的用人单位。

安保北京分公司用人资格的不完全性主要体现在：

一方面，《中华人民共和国劳动合同法实施条例》规定其可以作为用人单位与劳动者订立劳动合同。这就意味着安保北京分公司具有用人主体资格，是合法的用人单位，其可以独立于安保公司之外，以自己的名义招聘劳动者，与劳动者建立劳动关系，行使用人权利，履行用人义务。需要强调的是，此时与劳动者存在劳动关系的是安保北京分公司，而不是安保公司。

另一方面，由于安保北京分公司毕竟只是分支机构，这意味着其行使的用人权利和负担的民事责任都是受限的。就行使权利来说，其人事权、财务权、管理权都可能会受到安保公司的支配，是不完整的；就负担责任来说，基于权责对等原则和保护相对人的考虑，《中华人民共和国民法典》第七十四条第二款规定，分支机构以自己的名义从事民事活动，产生的民事责任由法人承担；也可以先以该分支机构管理的财产承担，不足以承担的，由法人承担。易言之，安保北京分公司所负担的民事责任亦是有限的。所谓有限，一是指其以自己的名义与劳动者建立劳动关系，产生的民事责任可以由作为法人的安保公司直接承担。这是因为安保北京分公司作为分支机构不具有法人资格，其人事权、财务权往往为其所属的安保公司所掌控，其并无独立的财产，因而也不具有独立的财产承担能力。二是指其以自己的名义与劳动者建立劳动关系，产生的民事责任也可以先以其管理的财产承担，不足以承担的，再由安保公司承担。因为从促进交易效率以及保护交易安全的角度出发，有必要在一定程度上承认分支机构可以其管理的财产承担民事责任，然后再由法人承担兜底责任。[②]

编写人：北京市第一中级人民法院　吴博文

① 参见王全兴：《劳动法》，法律出版社2017年版，第116页。

② 参见陈甦主编：《民法总则评注》，法律出版社2017年版，第498页。

8

意思表示应当作为认定劳动合同关系是否成立的考量因素

——物业管理公司诉聂某劳动争议案

【案件基本信息】

1. 裁判书字号

北京市第三中级人民法院（2021）京03民终7775号民事判决书

2. 案由：劳动争议纠纷

3. 当事人

原告（被上诉人）：物业管理公司

被告（上诉人）：聂某

【基本案情】

聂某于2011年3月7日入职物业管理公司，工作岗位为车管岗保安，最后工作至2017年12月1日，之后一直请病假至2018年6月25日。

就双方之间所形成法律关系的性质，双方存在争议。物业管理公司主张与聂某是劳务关系，聂某与原单位之间有内部退养协议，其与原单位的劳动关系一直存在。为此，物业管理公司提交如下证据，聂某发表了质证意见：1.《内部退养协议》，证明聂某与某纺织厂存在劳动关系。《内部退养协议》显示甲方为某纺织厂，乙方为聂某，聂某自2008年11月20日起至国家法定退休年龄期间实行内部退养，双方约定，乙方内部退养期间，单位及个人仍按规定缴纳基本养老保险，并计入个人账户，缴费年限连续计算。在协议期间，劳动合同书中双方约定的其他权利和义务终止执行。聂某认可《内部退养协议》的真实性，庭审中称该协议系其捡的，只有复印件没有原件，捡来以后自己填上名字交给了物业管理公司。聂某称之所以这样做是因为不好找工作，只有这样才能找到工作。2. 物业管理公司作为甲方，聂某作为乙方的《劳务协议》六份，其中部分内容如下：乙方为退休、待岗、内退人员，不具备劳动法律关系的主体资格。甲方支付乙方劳务报酬，除劳务报酬外，乙方不享受其他各类福利待遇。乙方依法缴纳个人所得税，甲方依法代扣代缴。基于现行的社会保障制度，由于乙方原身份属于其他企业的退休/待岗/内退人员，在受聘于甲方提供劳务期间，甲方无法为乙方另行办理养老、医疗、工伤保险等社会保障手续。聂某认可上述证据真实性，不认可证明目的。3.《缴纳五险一金通知书》，其中聂某手写：由于本人属于内退人员，保险自己缴纳。聂某认可该证据真实性，但称系物业管理公司让其签的。

聂某主张双方之间系劳动关系，并提交了工资卡、工牌（其上载明“车管员 聂某”）、培训卡等。

就双方争议关系的解除，聂某主张因其休病假，物业管理公司违法解除了双方之间的关系。物业管理公司主张系合法解除双方之间的关系，因被告已经休假半年多，依据双方签订的《劳务协议》第6.3条解除了双方的关系。

就2018年6月1日至2018年6月14日期间的报酬，物业管理公司认可应当向聂某支付，但其称已经通过现金方式进行发放，对此其未进行举证。

【案件焦点】

双方之间形成的法律关系性质如何认定。

【法院裁判要旨】

北京市朝阳区人民法院经审理认为：本案争议焦点为聂某与物业管理公司之间形成了何种性质的法律关系。在自愿签订协议的基础上，探寻双方当事人在订立协议时是否存在建立劳动关系的合意是判断双方之间法律关系性质的首要前提。本案中，聂某与物业管理公司之间不存在建立劳动关系的合意：

首先，聂某主张其在与物业管理公司订立协议时向物业管理公司提交了《内部退养协议》。聂某在与物业管理公司订立协议之初，以伪造证据的方式寻求工作，不要求物业管理公司为其缴纳社会保险等行为，不应视为其基于建立劳动关系的主观意愿所作出的意思表示。其次，物业管理公司有理由相信聂某与某纺织厂之间存在劳动关系，并基于上述认识与聂某最终达成合意。最后，《劳务协议》之内容亦再次明确双方所签协议性质为劳务协议。综上，聂某与物业管理公司之间不存在劳动关系。物业管理公司认可其应向聂某支付2018年6月1日至2018年6月14日期间的相应报酬，不持异议。聂某虽无权主张劳动法范畴内所规定的法定节假日及延时加班工资报酬，但结合双方签订的《劳务协议》约定内容，聂某每周工作时间与物业管理公司正式合同工相同，故如聂某存在工作日延时提供劳务或法定节假日提供劳务的情形，其理应得到相应的劳务报酬。

北京市朝阳区人民法院依照《中华人民共和国合同法》第八条、《中华人民共和国劳动争议调解仲裁法》第六条之规定，判决：

一、确认双方不存在劳动关系；

二、物业管理公司无需向聂某支付违法解除劳动关系赔偿金；

三、物业管理公司无需向聂某支付未休年假工资；

四、物业管理公司向聂某支付拖欠的劳务报酬；

五、驳回物业管理公司的其他诉讼请求。

二审法院同意一审法院裁判意见。

【法官后语】

劳务关系与劳动关系的区分，一直是劳动争议案件中常见的纠纷之一。实践中存在两种情形，一是双方虽签订书面有名合同，但对合同性质实际属于劳务合同还是劳动合同存在争议，多表现为签订合同名称为劳务合同，但个人主张系劳动关系；二是双方未订立书面合同，但对事实上形成何种合同关系存在争议。本案即实践中常见的双方订立合同名称为劳务合同，但个人主张系劳动合同关系的情形。司法实践中对该类纠纷往往直接从劳动关系实质性要素方面进行审核，来认定双方当事人是否形成实质上的劳动关系。但笔者认为，审核双方当事人成立何种性质的合同关系，也应从意思自治的角度出发，探寻双方建立合同之初的真实意思表示。事后探寻当事人真实性意思表示，还应当以诚实信用原则作为考量标准之一。

1. 应充分肯定意思自治原则对于法律关系性质确定时的重要性

从法律性质的角度看，劳动合同关系兼具公法和私法两种属性，私法性决定了劳动合同缔结的过程中应充分尊重当事人的意思自治，公法性决定了在劳动合同内容的确定中发挥国家强制作用的必要性。① 因此，在劳动合同法领域中也并不否定意思自治的存在，意思自治原则在劳动合同法相关条文中亦有相应体现。虽然在劳动合同关系中，用人单位处于优势地位，劳动者处于劣势地位，私法自治领域中合同双方的平等性和主体互换性亦不存在。但在选择是否成立劳动合同关系、是否进入劳动关系领域层面时，在不违反社会公共利益的前提下，还应当尊重当事人尤其是个人的真实意思表示。

2. 从客观和主观层面准确把握当事人的真实意思表示

因劳动合同关系的公法性质，《中华人民共和国劳动合同法》的很多规定都体现了对劳动者的"倾斜性"保护，一些劳动者为一己私利事先与用人单位达成合意，拿到好处后又依据劳动合同法来主张自己的权利，这显然有悖社会公序良俗。因此，对当事人订立合同之初"合意"的内容及真实性应当全面审查。客观层面主要是从双方订立合同的名称、具体的约定内容、订立合同的次数、订立合同时个人一方所提交的个人材料等方面进行审查。主观层面则应当综合考虑签订合同时的背景、订立合同过程、前期洽商细节、后续履行表现等方面。

3. 重视诚实信用原则的现实意义

以诚实信用原则作为首要价值理念，才能实现和谐稳定的合同关系或用工关系。《中华人民共和国劳动合同法》第一章总则中就明确规定：订立劳动合同，应当遵循合法、公平、平等自愿、协商一致、诚实信用的原则。劳动者与用人单位之间劳动合同的订立系基于信赖彼此遵守劳动合同约定的权利义务，双方均付出了放弃其他机会的代价。这种信赖关系的形成，本质就是双方是否

① 孙国平：《论劳动法上的强制性规范》，载《法学》2015年第9期。

遵循诚实信用原则，而这种诚实信用是双向的。只有这样才能确保劳动合同的订立是合法、平等自愿、协商一致的。本案例中的被告在与公司签订合同时提交了伪造的《内部退养协议》，造成公司对被告个人情况认识存在偏差。被告在仲裁阶段亦将《内部退养协议》作为证据提交并认可证据的真实性，直到此次诉讼中，在法官追问内部退养具体事实时其无法进行合理陈述，才称该协议为其自行伪造。因此，被告在与公司订立合同之初以及诉讼过程中均存在不诚信的行为，导致公司所依的信赖基础受到影响。被告的这种行为不应被鼓励。由此可以看出，被告在订立合同时是自愿且与公司协商一致选择了劳务合同关系。如果在被告依靠不诚信的手段取得订立劳务合同的机会，而在劳务合同终止时又选择以劳动关系来寻求更高的经济利益，显然不符合劳动合同保护劳动者的初衷。

法院应在坚持协商一致和充分运用诚实信用原则的基础上，力求平衡好保护劳动者合法权利和维护企业良性发展。在结合法律规定及真实自愿、诚实信用原则的基础上，法院严格审查双方当事人提交的证据，尽最大可能考察当事人订立合同之初的真实意思表示，充分考虑个案特殊性，依法确认双方订立合同时不存在订立劳动合同的合意，对维护企业的合法权益、促进企业发展起到了良好的作用，对类案裁判有一定的参考价值。

编写人：北京市朝阳区人民法院　赵晓琳

9

银行的个人信用报告能否作为确认劳动关系的依据

——王某诉保安公司劳动争议案

【案件基本信息】

1. 裁判书字号

北京市第一中级人民法院（2021）京01民终8952号民事判决书

2. 案由：劳动争议纠纷

3. 当事人

原告（上诉人）：王某

被告（被上诉人）：保安公司

【基本案情】

王某称其于2013年5月21日入职保安公司，入职后被派至某银行数据中心做保安，后于2013年11月18日离职。王某就其主张提交中国人民银行征信中心出具的《个人信用报告》为证，王某称该报告有记载其在保安公司工作过，当时自己办理了信用卡，该报告系由银行工作人员到办公地点向其了解工作单位后填写上报的。《个人信用报告》记载被查询者为王某，个人职业信息显示："……工作单位：保安公司；单位地址：某银行数据中心；职务：保安（一般员工）……"该报告说明处记载："1. 本报告由中国人民银行征信中心出具，依据截至报告时间个人征信系统记录的信息生成。除查询记录外，其他信息均由相关机构提供，征信中心不保证其真实性和准确性，但承诺在信息汇总、加工、整合的全过程中保持客观、中立的地位……"保安公司辩称，《个人信用报告》中的工作单位信息系由王某自己向银行陈述填写的，不具有真实性，其公司未查询到王某的工作记录。

王某于2021年3月16日向北京市昌平区劳动人事争议仲裁委员会提出仲裁申请，申请请求为：要求确认与保安公司在2013年5月21日至2013年11月18日期间存在劳动关系。北京市昌平区劳动人事争议仲裁委员会于2021年5月12日驳回了王某的仲裁请求。王某对裁决不服，于法定期限内提起诉讼。

【案件焦点】

仅凭劳动者提交的中国人民银行征信中心出具的《个人信用报告》所记载的工作单位信息，能否认定劳动者与该工作单位存在劳动关系。

【法院裁判要旨】

北京市昌平区人民法院经审理认为：当事人对自己提出的诉讼请求所依据的事实或者反驳对方诉讼请求所依据的事实，应当提供证据加以证明，但法律另有规定的除外。在作出判决前，当事人未能提供证据或者证据不足以证明其事实主张的，由负有举证证明责任的当事人承担不利的后果。

首先，王某要求确认与保安公司存在劳动关系的请求，并非债权或其他财产权请求权，不适用仲裁时效的相关规定，对保安公司关于王某的仲裁请求已经超过仲裁时效的主张，不予支持。

其次，就王某是否在2013年5月21日至2013年11月18日期间与保安公司存在劳动关系一节，王某提交的证据仅有《个人信用报告》，该报告虽记载王某的工作单位曾为保安公司，但该报告亦载明，征信中心不保证除查询记录外信息的真实性和准确性。现保安公司不认可与王某存在劳动关系，王某对其诉讼请求缺乏其他有效证据予以证明，故对其诉讼请求不予支持。

北京市昌平区人民法院依照《中华人民共和国民事诉讼法》第六十四条第一款之规定，判决：

驳回王某的全部诉讼请求。

王某不服原审判决，提起上诉。北京市第一中级人民法院经审理认为：就王某要求确认与保安公司存在劳动关系的诉讼请求，保安公司提出时效抗辩。而确认法律关系的诉讼请求并非债权请求权，不适用诉讼时效的相关规定，故对该抗辩意见不予采信。

王某主张2013年5月21日至2013年11月18日期间其与保安公司存在劳动关系，在一审、二审期间提交报告时间不同的两份《个人信用报告》。两份报告虽记载王某的工作单位曾为保安公司，但两份报告关于保安公司部分内容的记载不一致，对此缺乏合理解释；报告内容亦载明征信中心不保证除查询记录外信息的真实性和准确性；此外，王某主张相应信息系其办理信用卡时所申报，银行对办卡人工作单位的记载情况欠缺公信效力。鉴此，《个人信用报告》不能证明其目的，不予采信。王某对自己提出的诉讼请求所依据的事实负有举证责任，现其提交的证据不足以证明其诉讼主张，应承担举证不能的不利后果，保安公司是否提出反证，均不影响举证责任的承担，王某要求保安公司提交2013年年度工资表以证明王某的诉讼主张，缺乏法律依据。

北京市第一中级人民法院依照《中华人民共和国民事诉讼法》第一百七十条第一款第一项规定，判决如下：

驳回上诉，维持原判。

【法官后语】

本案劳动者王某于2021年3月16日向劳动争议仲裁委员会提出仲裁申请，请求确认其与保安公司在2013年5月21日至2013年11月18日期间存在劳动关系，其并未同时提出其他具有支付内容的仲裁申请，王某要求确定劳动关系的请求并不属于债权请求权，不应适用诉讼时效的相关规定。但双方是否存在劳动关系，即劳动关系的认定，系本案应审查的焦点和难点问题。

在确认劳动关系的纠纷中，如果双方并未订立劳动合同，如何分配举证责任，以及何种证据可以作为认定劳动关系存在的依据，通常是这类案件所要面对的重要问题之一。《劳动和社会保障部关于确立劳动关系有关事项的通知》中就用人单位与劳动者确立劳动关系的有关事项有如下规定："一、用人单位招用劳动者未订立书面劳动合同，但同时具备下列情形的，劳动关系成立。（一）用人单位和劳动者符合法律、法规规定的主体资格；（二）用人单位依法制定的各项劳动规章制度适用于劳动者，劳动者受用人单位的劳动管理，从事用人单位安排的有报酬的劳动；（三）劳动者提供的劳动是用人单位业务的组成部分。二、用人单位未与劳动者签订劳动合同，认定双方存在劳动关系时可参照下列凭证：（一）工资支付凭证或记录（职工工资发放花名册）、缴纳各项社会保险费的记录；（二）用人单位向劳动者发放的'工作证'、'服务证'等能够证明身份的证件；（三）劳动者填写的用人单位招工招聘'登记表'、'报名表'等招用记录；（四）考勤记录；（五）其他劳动者的证言等。其中，（一）、（三）、（四）项的有关凭证由用人单位负举证责任。"上述规定为这类案件的认定确立了审查的方向和原则，但是如何对上述规定予以理解和应用，仍然是审判实践的难点问题。

该类案件审理过程中，通常原、被告之间就双方是否存在劳动关系主张不一，此时一般区分为两种情形。一种情形是被告方认可原告曾在其单位工作或双方有其他往来关系的事实，但否认双方建立劳动关系。此时，主要依照《劳动和社会保障部关于确立劳动关系有关事项的通知》第一条的内容进行审查，有时还需结合当事人的主张和陈述，对劳动关系与劳务关系、劳动关系与承揽关系等法律关系进行区分和认定。另一种情形是被告方否认原告在其单位有过工作的事实，即完全否认与原告方存在任何关联关系，此时审查的要点为劳动关系中用人单位主体的确认，主要依照《劳动和社会保障部关于确立劳动关系有关事项的通知》第二条的内容进行审查。本案即属于第二种情形。在该种情形下，应当遵循“谁主张，谁举证”的一般举证原则，即由劳动者就其主张存在劳动关系承担举证责任，但考虑到劳动者的相对弱势地位，劳动者提交初步证据证明劳动关系存在即可。用人单位一般无需对消极的事实承担举证责任，但对于用人单位掌握管理或控制的证据，应由用人单位举证。

本案中，劳动者就劳动关系所举证据即中国人民银行征信中心出具的《个人信用报告》，故该证据的证明效力以及该证据能否认定为劳动者完成了初步举证义务，即本案要进行分析考虑的问题。《最高人民法院关于适用〈中华人民共和国民事诉讼法〉的解释》第一百零八条第一款规定：“对负有举证证明责任的当事人提供的证据，人民法院经审查并结合相关事实，确信待证事实的存在具有高度可能性的，应当认定该事实存在。”再结合《劳动和社会保障部关于确立劳动关系有关事项的通知》第二条第二项、第五项的规定来看，一般劳动者提交有记载劳动者个人信息且加盖有用人单位公章的相关证件，或者劳动者提交的一系列间接证据可以形成完整的证据链，则可以认定劳动者完成初步举证义务；如果劳动者所提交的证据缺乏客观性或难以形成证据链，则难以认定其完成举证义务。

本案中，《个人信用报告》虽为第三方出具，但该报告中记载第三方声明称其并不保证信息的真实性和准确性，因此该报告对于劳动关系的证明效力本身即存疑。同时，本案中劳动者所陈述的银行工作人员审查上报的信息在其一审时提交的《个人信用报告》中并无显示，劳动者在二审中补充提交的《个人信用报告》与一审所提交的内容并不一致，更加说明了该报告中所记载的工作单位信息缺乏客观真实性。多年前，部分银行在办理银行卡、信用卡时，持卡人的工作单位信息系由持卡人自行申报填写，银行工作人员并不查证持卡人的工作单位情况，或者对工作信息并不做严格审查，所以导致《个人信用报告》所记载的工作单位内容缺乏准确性、客观性，因此劳动者单独凭借该《个人信用报告》难以认定劳动者完成了初步举证义务。本案中，因劳动者并未提交除《个人信用报告》外的其他证据佐证其主张的劳动关系，故本案最终驳回了原告的诉讼请求。

编写人：北京市昌平区人民法院　张祎慧

10

用人单位"隐性控制"劳动者劳动意志的，应评价为双方之间具有劳动关系

——周某诉甲物流公司劳动关系确认案

【案件基本信息】

1. 裁判书字号

重庆市第一中级人民法院（2021）渝01民终469号民事判决书

2. 案由：劳动关系确认纠纷

3. 当事人

原告（上诉人）：周某

被告（被上诉人）：甲物流公司

【基本案情】

甲物流公司业务包括两块：其一，公司自营货运物流；其二，承揽乙快递公司在重庆市北碚区城南、城北、老城部分区域的快递揽收、分拣、派件工作。

周某从2019年7月2日开始，负责北碚区城南某片区的快递派件和揽件业务，周某当天向甲物流公司交纳了5000元保证金。周某自备三轮摩托车（在公司充电需要支付电费），身着标有“乙快递”字样的服饰进行揽、派件工作。如果包裹存在损毁，先由周某出面处理，不行则由乙快递公司客服进行处理，如果涉及赔偿，则由乙快递公司先对外赔偿，然后再对甲物流公司进行扣款，甲物流公司被扣款后再对周某进行相应扣款。周某的报酬根据其派送包裹数量确定。

周某还负责片区的包裹揽收，揽收费用由其自主收取，甲物流公司只收取运费，一公斤以内1.1元，一公斤以上分段计费，周某另需按一定的收费标准向甲物流公司购买快递单，剩余费用由周某所得。关于揽件，周某陈述，如果不按照要求揽件就会被罚款，甲物流公司陈述系因乙快递公司为了推行某快递应用程序，要求接到某快递应用程序的单子就必须去接。

甲物流公司在乙快递公司的北碚分拨中心有经营场所，周某需要每天上午八点和下午两点左右到北碚乙快递公司分拨中心打卡领取快递，取件需要凭工号进行扫描，凭单量计取报酬。如果当天的包裹没有派送完，甲物流公司会派人帮忙进行派送，这部分包裹则不能计为周某的派送数量。甲物流公司陈述，所有到员工分拨中心取件的派件员都需要去识别系统进行识别，该系统属于乙快递公司，而非甲物流公司的考勤系统。快递员没有迟到的，甲物流公司每月另行支付100元全勤奖。如果乙快递公司或者邮政等部门对快递有什么要求，甲物流公司会召集所有快递员开会进行告知。

2019年11月18日，周某向重庆市北碚区劳动人事争议仲裁委员会申请劳动仲裁，请求确认其与甲物流公司自2019年7月2日至今存在劳动合同关系。该委认定周某与甲物流公司不存在劳动合同关系，驳回了周某的申请请求。周某不服，向法院起诉，请求确认周某、甲物流公司双方自2019年7月2日起至今存在劳动关系。甲物流公司辩称：其将部分快递派送、揽件业务承包给周某，周某自备交通工具派送快递，自己确定揽收快件的价格，赚取利润。周某、甲物流公司双方之间形成的是承揽关系，并非劳动合同关系。

【案件焦点】

1. 劳动者所提供劳动具有自担风险、自负盈亏等外在特征，或者用人单位未对劳动纪律进行书面宣示等情形，是否排斥劳动关系适用；2. 在新型用工模式下，如何系统抽取用人单位“隐性控制”劳动者意志的行为特征，以平衡劳动双方法益。

【法院裁判要旨】

重庆市北碚区人民法院经审理认为：周某并非在甲物流公司的指挥、领导下完成工作任务，甲物流公司并不关心周某劳动过程，只关心其劳动成果，即快递是否按时送达。同时，没有证据证明甲物流公司对周某是否遵守规章制度进行监督或者作出违纪处理。此外，周某工作时并非以甲物流公司名义对外工作，其使用自备的劳动工具和车辆，独立完成取件、送件和揽件工作，不需要甲物流公司指示和派遣工作，与其他快递员也不存在分工合作，相关车辆磨损、维修、充电费等成本支出亦由周某自己承担、盈亏自负，因此，双方之间不具备人身从属性和经济依附性。

重庆市北碚区人民法院依照《中华人民共和国劳动合同法》第七条，作出如下判决：

驳回原告周某的诉讼请求。

周某不服一审判决，提起上诉。重庆市第一中级人民法院经审理认为：其一，甲物流公司通过在作业时间、投递范围、投递质效设置控制节点，自物流件领取到投递全过程中拥有控制权，正是此种权利保障其主营业务利益顺利实现。在甲物流公司“隐性控制”体系下，周某虽然在揽投“碎片”时间的规划上具有自由性，但在整体时间安排上受限于甲物流公司，对其具有人身从属性。其二，周某全然地依靠甲物流公司代理的揽投业务生活，对其具有高度经济依赖性，其自备工具、自行确定揽收件价格并不排斥经济依附性。

重庆市第一中级人民法院依照《劳动和社会保障部关于确立劳动关系有关事项的通知》第一条之规定，作出如下判决：

一、撤销一审判决；

二、周某、甲物流公司双方自2019年7月2日起至今存在劳动关系。

【法官后语】

劳动关系区别于承揽关系、雇用关系最本质的特征在于经济、人格从属性的有无或强度，其产生的法益脱离于纯粹民事合同进而必须纳入社会法调整范畴。从属性诸维度中又以受控性为核心，即用人单位以显性或者隐性方式控制劳动者的意志，为实现企业经营目标，在现有经营方式下，劳动作业要素（劳动时间、范围、方式、报酬、质量等）应当具备某种受控性质并与其他要素构成必要组合。

不同经济形态、不同组织结构对劳动过程有着不同控制方式，本案甲物流公司的经营范围包括“快递服务、国内货物运输代理、仓储服务”，其中代理乙快递公司的快递服务要求快递员在特定区域内向不特定客户高效、精准揽投，故控制揽投作业劳动措施相对松散，无需“科层制”组织结构那般严密。在揽投人员相对固定的前提下，以业务量占比最大的投递业务为例，甲物流公司只需要在作业时间、投递范围、投递质效设置控制节点即可消解存量物流件，进而实现其经营目标：在作业时间方面，劳动者需要每天在固定时间、固定地点打卡，尽管用人单位辩称打卡仅仅是为了扫描工号取件，但这一行为客观上还契合另一重目的，即隐性控制劳动者作业时间，若无此种控制措施让劳动者任意时间取件，则不符合用人单位经营目标；在投递范围方面，甲物流公司在其代理的营业范围内划定部分区域并安排给劳动者，这一看似权利让渡的行为也同时控制了劳动者的作业半径；在投递质效方面，劳动者需要当天投递完毕领取的物流件，尽管未投递完毕的由公司其他快递员帮忙派送，但甲物流公司设置的投递时间红线客观存在。可见，甲物流公司自物流件领取到投递全过程中都拥有控制权，正是此种权利保障其主营业务利益顺利实现，并能建立与乙快递公司长期合作的关系。

值得注意的是，人身从属性控制行为的认定，并不以用人单位是否主动披露或者据以对劳动者进行惩处为要件。只要按照正常人理性，能够引起心理上注意的隐性控制规则就应当视为其存在；至于企业是否进行制度宣讲并不影响控制行为成立，企业未对劳动者进行制度监督或者作出违纪处理更不能反推隐性控制行为规则不存在。

在“隐性控制”体系下，要求劳动者自备工具和自担运输工具维修成本是轻资产经营快递企业的常见经营策略，事实上，周某不可能因为自备工具、自担运输工具维修成本而脱离甲物流公司代理范围甚至自我经营。至于自行确定揽收件价格，一方面揽收件比投递件数量少，另一方面依附于甲物流公司的周某并无市场竞争能力，其并不可能真正地“自由定价”，其有限的议价能力来源于甲物流公司的利益让渡。

综合看来，本案劳动者并不具有和用人单位平等决定工作时间、工作方式、报酬计量和支取方式等权能，相对固定的快递员群体所提供劳动客观上实现了用人单位的主营业务经营目标，而这一切均涵摄于用人单位设置的隐性控制规则之下。因此，甲物流公司既不同于定作人，亦不同于仅提供撮合服务的信息商，双方之间具备劳动关系基本特征。

编写人：重庆市第一中级人民法院　陈瑜　吴小忠

二、劳动合同履行和变更

11

将劳动关系转移至关联企业应取得劳动者同意

——高某诉工程管理公司劳动合同案

【案件基本信息】

1. 裁判书字号

江苏省无锡市中级人民法院（2021）苏02民终5203号民事判决书

2. 案由：劳动合同纠纷

3. 当事人

原告（上诉人）：高某

被告（被上诉人）：工程管理公司

【基本案情】

高某于2019年1月26日至工程管理公司工作。同年7月1日，工程管理公司与高某签订全日制劳动合同书一份，期限至2021年4月13日止，月工资14000元。高某2019年年终奖金为100166.72元。2020年3月11日，工程管理公司发布任免通知，宣布自2020年1月1日起免去高某职务。无锡市用人单位职工调动登记备案表显示，高某自2020年1月15日起被案外某公司录用，劳动合同起止时间为2020年1月15日至2021年4月13日。工程管理公司于

2020年3月19日对上述内容盖章确认。案外某公司自2020年1月起为高某缴纳社会保险。3月22日，高某出具解除劳动关系通知书一份，以公司未足额支付劳动报酬为由，要求解除与工程管理公司的劳动关系。经查，工程管理公司与案外某公司存在关联关系。

高某向无锡市惠山区劳动人事争议仲裁委员会（以下简称仲裁委）提出仲裁申请，仲裁委于2020年5月18日决定终结仲裁活动。高某遂提起诉讼，请求：一、确认双方劳动关系自2020年3月22日起解除；二、工程管理公司支付拖欠工资62500元、经济补偿金37500元。

【案件焦点】

1. 用人单位将劳动关系转移到关联企业是否应征得劳动者同意；2. 劳动者沉默，能否推定劳动者同意。

【法院裁判要旨】

江苏省无锡市惠山区人民法院经审理认为：根据无锡市用人单位职工调动登记备案表，高某的劳动关系已于2020年1月15日转至案外某公司。结合案外某公司自2020年1月起为高某缴纳社会保险、高某自述曾为案外某公司董事、案外某公司曾为工程管理公司全资子公司等事实，高某认为变更劳动关系未经其同意、属违法变更等意见的可信度低，且高某亦未提供证据证明提出过异议，故高某与工程管理公司的劳动关系于2020年1月15日解除。工程管理公司还需支付高某自2020年1月1日起至2020年1月14日的工资9011.50元。结合工资收入情况及工作年限，工程管理公司需支付高某经济补偿金23106元。

江苏省无锡市惠山区人民法院依照《中华人民共和国劳动合同法》第四十六条、第四十七条，《中华人民共和国劳动法》第五十条之规定，判决如下：

一、高某与工程管理公司的劳动关系于2020年1月15日解除；

二、工程管理公司支付高某工资9011.50元、经济补偿金23106元；

三、驳回高某其余诉讼请求。

高某不服，提起上诉。江苏省无锡市中级人民法院经审理认为：关于劳动关系解除时间。首先，劳动关系具有很强的人身属性，工程管理公司将高某的劳动关系转移到案外某公司的行为，属于变更劳动合同的主体，应取得高某的同意。其次，无锡市用人单位职工调动登记备案表仅有工程管理公司盖章，未有高某意见，且落款时间为2020年3月19日，工程管理公司未提供证据证明劳动关系转移征得高某同意，故2020年1月15日的劳动关系转移不发生法律效力。最后，工程管理公司确认收到高某邮寄的劳动关系解除通知书，而工程管理公司未提供证据证明双方劳动关系在2020年1月15日至2020年3月21日期间解除，故双方劳动关系解除时间为2020年3月22日。高某的工资应计算至2020年3月21日，经计算，工程管理公司应支付高某拖欠工资37655.17元及经济补偿金33520.85元。

江苏省无锡市中级人民法院依照《中华人民共和国民事诉讼法》第一百七十条第一款第二项的规定，判决如下：

一、撤销一审判决；

二、确认高某与工程管理公司劳动关系于2020年3月22日解除；

三、工程管理公司支付高某拖欠工资37655.17元、经济补偿金33520.85元；

四、驳回高某的其他诉讼请求。

【法官后语】

用人单位根据生产经营需要或其他原因直接将某些劳动者的劳动合同转让给关联企业，这种转让行为是否合法？是否需要与劳动者协商并征得劳动者同意？协商的主体应如何确定？劳动者同意是否需要明示？

第一，《最高人民法院关于审理劳动争议案件适用法律问题的解释（一）》第四十六条规定了劳动者非因本人原因从原用人单位被安排到新用人单位工作，原用人单位未支付经济补偿，劳动者工作年限连续计算的情形。其中“用人单位及其关联企业与劳动者轮流订立劳动合同”属于“劳动者非因本人原因从原用人单位被安排到新用人单位工作”的情形，但该条并未明确轮流订立劳动合同是否需要与劳动者协商、谁来协商等问题。

第二，关联企业并非同一用人单位。关联企业虽然在某些方面存在一定的联系，但仍然是独立的法人。对劳动者来讲，原用人单位与关联企业可能在工作地点、劳动条件、劳动纪律、休假福利等方面存在诸多差别。

第三，劳动者从原用人单位到关联企业工作，这一过程存在两个法律行为，一是劳动者与原用人单位劳动关系的解除，二是劳动者与关联企业新劳动关系的建立。而劳动合同并不等同于普通的民事合同，劳动关系具有很强的人身属性，故劳动合同的转移不简单等同于合同权利义务的概括转让。

第四，转让劳动合同属于变更劳动合同的主体，需要经三方协商一致。劳动者将其劳动关系转移到关联企业，有其自身的考量因素，或是岗位的提升，或是工资的变化，或是看重新单位的平台。在转移的过程中，往往需要劳动者、原用人单位、新用人单位三方进行多次协商。在此过程中，劳动者应有表达自己真实意思的机会，在综合多种因素后，可以选择是否入职新单位，故在劳动关系转移的过程中，新劳动合同的签订需要关联企业与劳动者反复磋商，需要各方真实意思表示一致。

第五，默示在转让劳动合同中能否运用。根据《中华人民共和国民法典》第一百四十条规定，行为人可以明示或者默示作出意思表示。沉默只有在有法律规定、当事人约定或者符合当事人之间的交易习惯时，才可以视为意思表示。因此，审判实践中，当事人主张自己或者对方的沉默应被视为意思表示时，其负有相应的举证责任：其可以举出相应的规定，也可以举证证明这是当事人之间的约定，还可以举证证明符合当事人之间的交易习惯。但在劳动争议案件中，劳动合同转让一般不存在适用交易习惯的可能性，亦无法律予以明确规定，故当事人要举证证明的即劳动合同转让系当事人之间的约定。本案中，工程管理公司并未举证证明双方有关于劳动合同转让的约定，其认为高某未表示异议即视为同意的抗辩理由明显站不住脚。

编写人：江苏省无锡市中级人民法院　许晓倩

12

用人单位行使经营管理自主权应合约合法合理

——某医院诉周某劳动争议案

【案件基本信息】

1. 裁判书字号

四川省达州市中级人民法院（2021）川17民终335号民事判决书

2. 案由：劳动争议纠纷

3. 当事人

原告（上诉人）：某医院

被告（被上诉人）：周某

【基本案情】

2008年，周某入职某医院。2017年至2020年4月，周某在某医院任肿瘤科（放疗室）护士长。2019年1月9日，某医院与周某签订书面劳动合同书：第一条约定，合同期限为2019年1月1日至2021年12月31日；第二条约定，周某工作岗位为护理岗位。2020年4月10日，某医院开展竞聘上岗选拔护士长相关工作，周某未报名参加。同日，某医院发文免去了周某肿瘤科（放疗室）护士长的职务。2020年4月14日，某医院将周某从肿瘤科（放疗室）护士岗位调动至妇产科护士岗位。

2020年5月26日，周某以未经协商、违法单方变更其劳动岗位、降薪降职为由提出与某医院解除劳动合同。双方对经济补偿金及补发工资产生争议，经当地人事争议仲裁委员会裁决，某医院应补发周某工资2500元、经济补偿金91615.2元。某医院不服，故诉至法院，请求法院判令不予支持仲裁裁决内容。

【案件焦点】

用人单位是否有权单方面对未参加竞聘上岗的职工进行调岗降薪。

【法院裁判要旨】

四川省达州市达川区人民法院经审理认为：某医院采取竞聘上岗的方式选拔护士长，周某未报名参加，系自愿放弃竞选。根据双方签订的合同、医院管理制度及竞争上岗的实际情况，某医院将其调至妇产科护理岗位并无不妥，也未违法。

劳动报酬属于劳动合同的必备条款，双方签订的《劳动合同书》关于劳动报酬没有具体数额、如何降薪等内容，应将2020年3月实际发放的工资数额视为补充约定。某医院2020年绩效分配办法中规定，护士长津贴500元/月，周某基本工资从2586元降至1586元，不符合该院规定的降薪金额，某医院无法说明降薪的合理理由，周某又不予以认可，故降薪属于克扣工资的行为，违反了法律规定，对周某要求某医院补发工资的主张，予以支持。周某提出解除劳动合同符合《中华人民共和国劳动合同法》第三十八条第二项之规定，某医院应向周某支付经济补偿。周某在某医院处连续工作年限为12年零21天，根据《中华人民共和国劳动合同法》第四十七条规定，经济补偿的计算时间应为12个月，基数为其离职前12个月平均工资7634.6元。

四川省达州市达川区人民法院依照《中华人民共和国劳动合同法》第十七条、第三十五条、第三十八条、第四十六条、第四十七条，《中华人民共和国劳动法》第五十条，《中华人民共和国劳动合同法实施条例》第十条之规定，作出如下判决：

某医院于本判决生效后十日内向周某补发2020年4月和5月工资共2500元并支付经济补偿91615.2元。

某医院不服一审判决，提起上诉。四川省达州市中级人民法院经审理认为：劳动报酬属于劳动合同的必备条款，工作内容和劳动报酬的变更属于对劳动合同内容的变更。根据《中华人民共和国劳动合同法》第四十条之规定，用人单位在劳动者不能胜任工作或劳动者患病、非因工负伤，在规定的医疗期满后不能从事原工作以及劳动合同订立时所依据的客观情况发生重大变化，致使劳动合同无法履行时，可以变更劳动者工作岗位。本案不符合上述情形。双方签订的《劳动合同》无“竞聘上岗”约定，虽约定了用人单位可根据劳动者的工作能力及资质调整工作岗位等，但约定不得违反法律规定。本案中已造成劳动者收入等明显降低，不具有合理性，属违法变更劳动合同。一审判决认定某医院降薪属于克扣工资并无不当，判决某医院应向周某支付经济补偿亦符合法律规定。

四川省达州市中级人民法院依照《中华人民共和国民事诉讼法》第一百六十九条、第一百七十条第一款第一项之规定，作出如下判决：

驳回上诉，维持原判。

【法官后语】

近年来，部分用人单位积极创新方式方法，行使经营管理自主权加强职工管理、优化内部组织以提升单位竞争力和成效。这本属于企业发展所需，也符合市场经济规律，但忽视劳动者合法权益保护的情形时有发生。用人单位经营管理自主权的行使应存在边界，不能损害劳动者合法权益。本案判决对规范企业管理权行使和维护劳动者合法权益具有积极意义。

第一，用人单位行使经营管理自主权应符合劳动合同约定。劳动合同是劳动者与用人单位确立劳动关系、明确双方权利义务的协议，遵循合法、公平、平等自愿、协商一致、诚实信用等原则订立，一经依法订立即对双方具有约束力，不得单方面随意变更。工作内容、工作场所、工作时间、劳动报酬等内容属于劳动合同的必备条款，也是与劳动者权益密切相关的核心条款，如需变更应协商一致。本案中，双方在签订劳动合同时周某已经任职肿瘤科（放疗室）护士长职务，按照惯例和诚实信用原则，合同中约定的“护理岗位”应理解为护理岗位护士长职务或相当职务。某医院采取“竞聘上岗”方式在全院护理人才中选拔护士长，选拔结果直接影响周某的岗位，在未与其协商一致的情况下单方面将其调整到其他科室一般护理岗位突破了合同约定，损害了劳动者权益，不具有合约性。

第二，用人单位经营管理自主权的行使应符合法律规定。在用人单位与劳动者之间，前者处于优势地位，后者处于劣势地位。为了保护劳动者的合法权益，我国制定实施了多部劳动相关法律法规，规定了用人单位可为与不可为的范围，用人单位应当严格遵守。岗位和薪资调整实质上是对劳动合同核心内容的变更，关于合同变更，《中华人民共和国劳动合同法》第三十五条规定了协商一致原则，第三十九条、第四十条规定了用人单位可以单方解除的九种具体情形，其中，第四十条前两项规定的情形以调整过岗位为前提。在可以解除劳动合同的情况下，如果用人单位愿意继续为劳动者提供岗位，则当然可以单方面调整劳动者原有岗位和工资。但在本案中，并没有证据证明周某存在患病负伤、不能胜任工作等需要调整岗位的情形，没有证据证明周某存在严重违反纪律规定、严重失职等需要解除合同的情形，也缺乏证据证明存在客观情况发生重大变化的情形，在双方没有协商一致的情况下，某医院的单方面调整行为不符合法律规定，不具有合法性。

第三，用人单位经营管理自主权的行使不能超过合理范围。合理，即合乎事理与道理，背后是朴素正义等价值秩序，对社会行为具有调整与规范作用，用人单位行使管理权必然应受到合理性的约束。本案中，周某在该单位工作十二年有余，月均工资七千余元，其未报名竞聘可视为放弃竞争护士长职务，也可推定出其对岗位和薪资进行合理调整的默示，即在综合考虑其工作能力、原有待遇、年限等因素后进行适当调整，但绝不是单方面大幅度调整，比如将工资从每月七千余元调整到一千多元。某医院的调整行为明显不符合一般劳动者对职业发展的期待等常理，不具有合理性。

社会发展需要企业助力，更离不开劳动者的辛勤付出，双方应在良性活动中实现合作共赢，用人单位应尊重劳动者，在行使经营管理自主权时自觉接受合同约定、法律规定以及常识常理约束。超出约束边界的管理权行使极有可能产生违法行为，比如演变成变相裁员、变相降薪、变相辞退等恶劣情形。本案明确了对此类案件应进行合约性、合法性、合理性审查，保护了劳动者合法权益，也为企业行使管理权明确了边界。

编写人：四川省达州市中级人民法院　覃雪梅

三、劳动合同解除和终止

13

比例原则在用人单位即时解除中的应用

——方某诉北京某公司、某外国航空公司劳动争议案

【案件基本信息】

1. 裁判书字号

北京市第二中级人民法院（2021）京02民终10263号民事判决书

2. 案由：劳动争议纠纷

3. 当事人

原告（被上诉人）：方某

被告（上诉人）：北京某公司、某外国航空公司

【基本案情】

方某于2011年6月1日入职北京某公司，签订过两次劳动合同，最后一份为2013年6月1日起的无固定期限劳动合同。方某被派遣至某外国航空公司工作，岗位是空勤乘务员。

2019年10月25日，某外国航空公司通知方某停飞，方某在家待岗。11月22日，某外国航空公司将方某退回至北京某公司，退回通知内容为："派遣员工在某外国航空公司航班上担任客舱乘务员，在其执行飞行任务期间，出于私

人目的，多次不合理地使用我们商务舱乘客的互联网连接。根据某外国航空公司安全部门的技术调查结果，过去的 6 个月内滥用非常频繁……我们认为上述行为严重违反某外国航空公司的规定……我们已就上述事件对上述乘务员举行了听证会，并附上听证会记录。在听证会上，上述所有人员均已承认上述不当的行为。他们的错误在于屡次未能遵守某外国航空公司的准则……他们的上述行为，是对某外国航空公司指令及其义务明显而反复的漠视。他们不诚信的行为严重违反了他们的工作义务和法律义务，导致雇主对其信任严重不足。在这些情况下，由于缺乏信任，他们无法满足继续为某外国航空公司航班工作的要求。为此，我请求北京某公司办理终止其雇用协议的手续。”

北京某公司于 12 月 27 日向方某发出解除通知，内容为“鉴于您的用工单位已来函确认于 2019 年 12 月 31 日解除与您的用工关系，公司决定依据《中华人民共和国劳动合同法》第三十九条和第六十五条于 2019 年 12 月 31 日解除与您的劳动合同”。北京某公司告知了工会。另，听证会记录载明造成损失为 900 欧元，而某外国航空公司发出的日期为 2020 年 2 月 17 日账单（即方某提交的“罚款通知单”）载明金额为 239.48 欧元。

2020 年 4 月 14 日，方某就违法解除赔偿金等向北京市东城区劳动人事争议仲裁委员会申请仲裁。该委裁决：一、北京某公司支付方某 2019 年度未休福利年假工资 7778.3 元；二、某外国航空公司对上述第一项裁决结果承担连带赔偿责任；三、驳回方某的其他申请请求。方某不服，提起诉讼。

【案件焦点】

1. 方某是否构成严重违纪；2. 能否适用比例原则对解除行为进行审查。

【法院裁判要旨】

北京市东城区人民法院经审理认为：《中华人民共和国劳动合同法》第三十九条规定，劳动者严重违反用人单位的规章制度，用人单位可以解除劳动合同。对于“严重”的理解有三个方面：一是劳动者的违纪行为必须达到严重的程度；二是解除劳动合同是最严厉的处罚措施，应该是在穷尽了其他处罚手段后才能适用的处罚；三是用人单位在解除劳动合同时应该遵守审慎决策原则，也就是解除确实是因员工违纪侵害了公司利益而为。某外国航空公司不能证明相应期间方某均是出于个人目的使用的网络连接服务。某外国航空公司虽然主张方某的上网行为造成900欧元的损失费用，但是并未提供证据证明损失的存在。听证会仅是告知了方某的行为造成损失，方某需赔偿损失，并未说明目的是给予方某解除的处罚。某外国航空公司在发现违纪事实后，并未给予事先的纠正和处理。根据处罚的比例原则，用人单位对于员工的处罚应与员工的违纪行为在程序上相当，即使员工存在违纪行为，也应该先给予警告处理，给予员工改正的机会。只有在员工屡教不改的情况下，才能作出解除的处罚决定。某外国航空公司与北京某公司从收集证据到作出解除决定，只经过一个听证会，未给予方某事先改正的机会，也未与员工就解除行为进行面谈和解释，而是在安全部门监控收集方某的行为后直接作出解除决定，明显不够审慎。且某外国航空公司发出了罚款通知，方某行为已经受到惩罚。综上，北京某公司在事实上不能证明方某的违纪行为构成严重违纪，在处理方式和结论上，不能证明解除的正当性和合理性，故其作出的解除行为缺乏依据，应支付方某违法解除劳动合同赔偿金。

北京市东城区人民法院依据《中华人民共和国劳动合同法》第三十九条规定，判决：

北京某公司支付方某违法解除劳动合同赔偿金246077.76元；某外国航空公司对该项判决结果承担连带责任。

一审判决后，北京某公司及某外国航空公司不服，上诉请求改判不支付方某违法解除劳动合同赔偿金。北京市第二中级人民法院经审理认为：方某不当使用网络的行为在一段时间内持续存在，单就每次不当使用网络行为而言，应属于一般不当行为，某外国航空公司认可在退回前并未对方某滥用网络的行为进行书面警告，故某外国航空公司对方某的处罚并不符合《某外国航空公司员工手册》的相应条款。

北京市第二中级人民法院依照《中华人民共和国民事诉讼法》第一百七十

条第一款第一项规定，判决如下：

驳回上诉，维持原判。

【法官后语】

本案是因用人单位即时解除劳动合同引发的争议，涉及对劳动者的过错行为构成严重违纪的判定。一审法院在论理时引入了比例原则，而劳动法领域能否适用行政法上的比例原则对用人单位的解除行为进行审查，值得探讨。

用人单位即时解除，又称随时解除或过失性解除，是指用人单位无需向劳动者预告就可以随时通知解除劳动合同，且无需支付经济补偿。因即时解除对劳动者权益产生重大影响，为了防止用人单位利用其强势地位任意解除劳动合同，法律对其适用条件进行了较为严格限制，具体体现为《中华人民共和国劳动合同法》第三十九条规定的情形，解除事由法定。同时，该条款使用了“严重违反”“严重失职”“严重影响”等表述，也为用人单位基于用工自主权实施惩戒性解雇留下余地。为保护劳动者合法权益，裁审机构除了审查用人单位解除行为的合法性，亦应对其合理性进行必要审查。

比例原则又称为“最小侵害原则”“禁止过度原则”，被誉为行政法领域的“帝王条款”和“皇冠原则”。该原则的基本含义是行政机关实施行政行为应兼顾行政目标的实现和适当性手段的选择、保障公共利益和相对人权益的均衡，如为实现行政目标可能对相对人权益造成某种不利影响时，应将这种不利影响限制在尽可能小的范围和限度内，保持二者处于适度的比例。因为劳动关系具有从属性，劳动者对用人单位形成人身和经济上的依附性，用人单位在劳动关系中处于强势地位，掌握更多的信息，拥有更多的话语权，更容易在劳动过程中侵害劳动者的权益。比例原则强调的适当性、必要性、均衡性，对保护劳动者合法权益，平衡用人单位和劳动者的利益具有借鉴和启发意义。

首先，劳动法上的解雇作为最后手段，其适用比例原则是应有之义。解除劳动合同（解雇）是用人单位行使用工自主权的体现，也是其享有的法定最严厉的惩戒措施。一旦解除劳动合同，将使劳动者丧失现有工作，对劳动者影响极大。因此，解除劳动合同应当作为最严厉也是最终的惩戒手段。用比例原则约束用人单位单方解除劳动合同的权利，要求在保障用工自主权的同时，将对劳动者生计的损害降到最小。基于比例原则，用人单位在解除劳动合同前应当尝试采取其他适当措施避免解雇，如督促、警告记过、调岗调薪等，在上述手段均已无法维护其经营秩序，才有必要采取最严厉的解雇手段。

其次，适用比例原则对用人单位即时解除劳动合同进行评判，实质是对解雇合理性的审查。用人单位对劳动者的过错行为进行惩戒应规则明确、公平合理、程序正当，尽力做到过罚相当。裁审机构对用人单位的惩戒行为，特别是解雇行为，既应审查其合法性，亦可以审查其合理性。具体到本案，从比例原则的三个层面进行分析：第一，适当性。用人单位是否必须通过解雇的方式才能达到对劳动者不当行为的惩戒。本案中，某外国航空公司之前完全可以采取事先书面警告或提醒等方式纠正方某不当使用网络的行为，在其屡教不改的情况下，再作出解除劳动合同的处罚决定。第二，必要性，即是否存在比解雇更温和的方法来对劳动者进行惩戒。某外国航空公司和北京某公司可以通过警告、罚款、降薪等方式对方某进行惩戒。事实上，听证会也作出了“赔偿损失”的结论，并且在诉讼中将金额由900欧元降低到239.48欧元。第三，均衡性，即解雇的方式和劳动者的不当行为之间的法益衡量是否相当。方某自2011年起即在北京某公司工作，已经和北京某公司签订了无固定期限劳动合同，并被派遣至某外国航空公司工作。方某已经将工作的黄金时间贡献给了某外国航空公司和北京某公司，结合解除时点的行业发展背景及方某的职业、年龄，其后续再就业明显困难；而某外国航空公司和北京某公司并未给予方某改正的机会，也未就解除事宜与方某进行沟通，而是在对方某的违纪行为已经给予“赔偿损失”的处分后，直接解除劳动合同。相对于方某使用网络的不当行为，某外国航空公司和北京某公司未能证明方某造成损失达到其规章制度规定的数额标准，其解除劳动合同的行为已经超出了法益侵害最小性，不符合比例原则。

当然，对用人单位即时解除劳动合同，首先要进行合法性审查，其次才是合理性审查。合理性审查是一个复杂的问题，借鉴适用行政法上的比例原则还需要进一步研究完善，需要在个案中综合各方面因素进行细致考量，既不能对用人单位肆意侵犯劳动者权益行为放任自流，又不能越俎代庖，损害用人单位的用工自主权。这需要裁判者的智慧，需要在实践中完善和发展。

编写人：北京市第二中级人民法院　马卫丰

14

居家办公模式下“劳动者严重违反劳动纪律”的认定标准

——科技公司诉杨某劳动争议案

【案件基本信息】

1. 裁判书字号

北京市第一中级人民法院（2021）京01民终2234号民事判决书

2. 案由：劳动争议纠纷

3. 当事人

原告（被上诉人）：科技公司

被告（上诉人）：杨某

【基本案情】

2020年2月至4月期间，科技公司安排全体员工居家办公，并要求员工通过某办公软件沟通工作。杨某的主管领导于2020年2月26日、3月19日、4月8日通过某办公软件与杨某沟通工作，杨某4天未回复。4月13日，杨某超过6小时未回应科技公司的工作安排，科技公司于当日向杨某做出第1次书面警告，要求杨某改正，并强调居家办公工作纪律，要求工作时间随时回复，超过规定时间视为旷工，书面警告超过2次将予以辞退。后杨某在4月14日、4月16日均出现超过3小时未回复其直属领导工作信息的情况，科技公司于4月14日、4月17日连续发出2次书面警告。4月22日，杨某又一次超过3小时未回复其直属领导工作信息，科技公司以杨某“不服从公司管理，严重违反劳动纪律”为由做出书面解除劳动合同通知。

杨某以要求科技公司支付违法解除劳动合同赔偿金为由申请劳动仲裁，仲裁裁决认定科技公司违法解除劳动合同。科技公司不服，诉至法院。

【案件焦点】

1. 杨某在居家办公期间未按要求在合理期间内回复科技公司工作沟通信息是否构成违反劳动纪律；2. 规章制度、劳动合同均未明确约定的情况下，用人单位以劳动者严重违反居家办公纪律为由解除劳动合同是否合法。

【法院裁判要旨】

北京市海淀区人民法院经审理认为：劳动者应遵守劳动纪律和职业道德。用人单位享有用工管理权，劳动者在劳动关系存续期间应服从用人单位的依法管理，在工作时间内提供劳动。与正常情况下员工在公司集中办公不同，居家办公引发的员工不在同一物理场所的状态势必会对工作沟通及工作安排造成一定的影响，在此情况下，科技公司要求员工使用软件沟通工作并要求员工在工作时间内回复信息并无不当。杨某在2020年2月26日至4月22日期间经科技公司三次书面警告并强调工作纪律的情况下仍然未按照公司要求及时回复信息，亦未就此作出合理说明，且对公司的三次书面警告处分通知置之不理，其行为严重违反劳动纪律，科技公司在此情况下与其解除劳动合同并无不当。对于科技公司不支付杨某违法解除劳动合同赔偿金的诉讼请求，予以支持。

北京市海淀区人民法院依照《中华人民共和国劳动法》第七十九条之规定，判决如下：

确认科技公司无需支付杨某违法解除劳动合同赔偿金216000元。

杨某不服一审判决，提起上诉。北京市第一中级人民法院经审理认为：劳动者应完成劳动任务，遵守劳动纪律和职业道德。该规定是对劳动者的基本要求，即便在规章制度未作出明确规定、劳动合同亦未明确约定的情形下，如劳动者存在严重违反劳动纪律或职业道德的行为，用人单位可依上述规定与劳动者解除劳动合同。杨某在居家办公期间，多次、长时间不回应科技公司的工作要求，违反了劳动者基本的劳动义务；在多次警告之后，仍然不能勤勉履行职责。杨某的行为已经严重违背职业道德，严重违反劳动纪律，使得科技公司与其建立劳动关系的目的落空，科技公司与其解除劳动关系，合理合法。

北京市第一中级人民法院依照《中华人民共和国民事诉讼法》第一百七十条第一款第一项规定，判决如下：

驳回上诉，维持原判。

【法官后语】

用人单位安排劳动者居家办公，对劳动者工作的管理从线下变为线上，但相应规章制度往往没有及时更新。用人单位在此种情况下行使用工管理权的限度，"云办公"模式下劳动者应遵守劳动纪律的范围成为司法实务中需要面对的新问题。本案争议即在规章制度未明确规定的情况下，居家办公期间劳动纪律标准如何认定，劳动者存在何种情形可以认定为"严重违反劳动纪律"，触发用人单位解除权。

关于用人单位解除劳动合同，《中华人民共和国劳动合同法》第三十九条规定了用人单位的过错性解除制度，列举了六种具体的辞退事由，适用条件对用人单位来说颇为严格，只有第二项"严重违反用人单位的规章制度"具有一定的适用张力，但复杂多样的现实决定用人单位不可能预估到所有情况并列举穷尽。如果劳动者严重违纪，却因未提供"制度依据"或"合同约定"判定违法解除劳动合同的话，司法实践中不免会出现法律效果和社会效果背离的情况。

《中华人民共和国劳动法》第三条第二款规定，劳动者应当遵守劳动纪律和职业道德。故司法实践中，如果规章制度依据不足，但劳动者确实严重违反劳动纪律和职业道德时，用人单位可以依据上述条款解除劳动合同。其背后的法律逻辑如下：《中华人民共和国劳动合同法》第三条第二款规定，依法订立的劳动合同具有约束力，用人单位与劳动者应当履行劳动合同约定的义务。《中华人民共和国民法典》第五百六十三条规定了一般法定解除权，解除原因之一为违约行为致使不能实现合同目的。考虑到《中华人民共和国劳动合同法》兼具公法和私法的属性，尽管其设置了特别的解除规则，但《中华人民共和国民法典》作为一般法、基本法，其中相应的契约规则也应当适用于《中华人民共和国劳动合同法》。从这条逻辑进路来看，如果劳动者违反劳动给付义务，导致用人单位与其建立劳动关系的目的落空，那么用人单位解除劳动合同就合理合法。

关于劳动纪律和职业道德的外延，并无统一标准。但通常认为，劳动纪律是劳动者在劳动过程中必须遵守的劳动规则和秩序，职业道德则体现为观念、习惯、信念等。对劳动者而言，遵守合理合法的劳动纪律有利于自己从用人单位发展中获益；对用人单位而言，确保劳动纪律的合理合法也有利于留住人才并获得发展。

故在爱岗敬业的基础上，加之私法社会化的要求及保护劳动者的理念，在司法实践中就劳动者是否严重违反劳动纪律和职业道德，需要综合考虑以下因素：一是该劳动纪律和职业道德的标准是否符合社会普遍价值观；二是劳动者主观上是否存在过错甚至故意；三是劳动者的相关作为或不作为对用人单位生产经营及管理方面的影响，是否足以影响双方建立劳动关系的目的；四是用人单位是否就劳动者的行为予以警告或规制以为劳动者提供改正可能及劳动者对此的反馈。

本案中，劳动者在居家办公期间多次、长时间不回应公司工作要求，属于变相拒绝、拖延完成工作任务，其行为严重违反劳动纪律，严重违背职业道德，损害了双方的信任及合作基础，故法院认定用人单位解除劳动合同合法。

编写人：北京市海淀区人民法院　董洪辰　甄艺艺

15

劳动者行使病休权应当遵循诚信原则并配合用人单位行使合理的病假管理权

——毛某诉制药公司劳动合同案

【案件基本信息】

1. 裁判书字号

江苏省无锡市滨湖区人民法院（2021）苏0211民初889号民事判决书

2. 案由：劳动合同纠纷

3. 当事人

原告：毛某

被告：制药公司

【基本案情】

毛某于2002年2月1日入职制药公司，岗位为生产部备件库库管员，双方于2013年1月1日签订无固定期限劳动合同。2019年5月1日至7月31日期间，毛某以医院出具的疾病建休证明，按照制药公司规章制度规定的请假流程请病假近3个月。在病假期间，毛某于2019年6月27日至30日参加了制药公司组织的前往外省市的工会及党员活动、于2019年7月10日至17日至国外旅游。2019年8月2日、8月6日，毛某两次托同事办理病假，制药公司病假审核部门要求毛某本人至公司办理。2019年8月13日，毛某至制药公司办理继续休病假手续，制药公司病假审核部门告知毛某已经连续休病假多月，如近期无住院治疗的计划，应先回公司上班，在需要治疗时公司可再给予短期病假，遂对毛某继续休病假的申请予以拒绝。毛某被拒绝后未至公司上班。

2019年8月23日，制药公司作出解除决定，以毛某在2019年8月1日至2019年8月23日连续旷工属于严重违纪行为为由解除与毛某的劳动合同，解除日期为2019年8月26日。

2019年9月12日，制药公司病假审核部门负责人汤某同公司人事部王某至毛某病假条开具医院对毛某的真实病情和病假证明事宜进行核实。该院在经过查证后对毛某2019年8月“休壹月”病假证明予以作废。

制药公司《员工手册》中的“休假制度”部分载明，员工休假必须按照公司休假制度规定，履行各项审批流程。病假应附诊断证明/病例/收费单据等复印件提交医务室审核并开具病假单，5天以下病假须部门负责人批准，5天以上（包括5天）病假还须分管副总经理/总经理批准，超过一个月的长假还须总经理批准；员工工作时间外出看病，以医疗保险医院出具的挂号凭证、诊断病历、处方、治疗/药费收费交易所复印件为病假依据；未能按规定办理请假手续或未能在上一次病假届满之前提供新病假建议书、诊断证明书及病假申请附件而缺勤的行为视为旷工；员工每年可享受12天的带薪病假，超出12天每休病假一天减发当月工资（基本工资和综合工资）的2%，但不低于当地最低工资标准，如员工连续病假满3个月，则从次月开始病假工资按照当地最低资标准发放。“奖励与惩罚制度”部分载明，员工有如下严重违纪行为之一，公司有权立即解除劳动关系，并不支付任何补偿金……全年连续或累计旷工3个工作日及以上。

【案件焦点】

毛某未获病假审批而拒绝到岗，制药公司单方解除与毛某的劳动关系是否合法。

【法院裁判要旨】

江苏省无锡市滨湖区人民法院经审理认为：和谐稳定的劳动关系，离不开用人单位与劳动者的共同维护。用人单位应当保障劳动者的疾病治疗与休息权，劳动者应当遵守单位的规章制度及劳动纪律。医疗期是法律赋予劳动者因患病停止工作治病休息而用人单位不得解除劳动合同的时间，法律限制企业用工权益的目的是保障劳动者获得休息的权利，故劳动者只有在确实需要治病休息的情况下才能获得相应的病假。本案中，自2019年5月起，毛某因颈椎病已获得病假近三个月，在此期间，毛某从事多项与其病情不符甚至不利于其病情恢复的活动，严重违背企业给其病假的初衷与目的。在此情况下，制药公司对毛某2019年8月的病假给予相对严格的审查具有合理性，毛某对此应当予以配合。后制药公司虽然未批准其该月长期病假，但也表明如有需要可给予短期病假。作为以经营盈利求生存的生产性企业，根据劳动者身体的客观状况，在不损害劳动者合法权益的前提下提出该种解决方案，做法并无不妥，毛某应当予以配合，在未获批病假的情况下先行恢复工作，如遇到困难再积极与制药公司进行沟通解决。本案中，毛某对制药公司未批准病假并未提出异议，但却未再至制药公司工作，也没有证据显示其就病假事宜再与制药公司进行沟通，其未获准休假而擅自不上班的行为按规章制度规定视为旷工，制药公司以其严重违纪为由解除与其劳动关系并无不当。

江苏省无锡市滨湖区人民法院根据《中华人民共和国劳动法》第三条、《中华人民共和国劳动合同法》第三十九条、《中华人民共和国劳动争议调解仲裁法》第六条之规定，判决如下：

驳回毛某的全部诉讼请求。

判决后，双方当事人均未上诉，本判决现已生效。

【法官后语】

病休权是劳动者基于患病或非因工负伤需要停止工作、休息治疗的权利，病假是用人单位基于劳动者患有疾病的自然属性而豁免劳动者的劳动义务，并给予劳动者生活保障的健康恢复性假期。[①] 在目前的法律法规中劳动者的病休权仅是以医疗期的概念出现，从劳动者享有的医疗期限、工资发放及解除补偿等方面作出规定。事实上，医疗期与病假期间存在一定的不同，医疗期是劳动者非因工负伤或非因工患病时受法律保护的最长请病假期限，而病假则是劳动者在非因工生病或非因工受伤需要中断工作疗养休息的实际期限。当劳动者请

---

① 徐骏、吕莘梓：《病假的制度机理及司法认定》，载《人民司法》2020年第29期。

病假具备相应的实体条件和程序条件，合理合法，才享有医疗期的相关权利及待遇。如劳动者请病假未得到相应的法律认可与保护，则无权享有医疗期相应的待遇。

实践中，劳动双方因休病假产生争议的纠纷占比较高。一方面劳动者的生命健康权需要保护，另一方面企业正常的经营生产秩序及生存发展利益需要考量。为保护各方的合法权益、促进劳动关系和谐发展，笔者认为，在处理该类纠纷时，主要考量以下两方面：

1. 劳动者休病假有无遵循诚信原则

劳动关系作为劳动者与用人单位之间的契约关系，必然要求劳动者在履行劳动合同的过程中遵循诚信原则。劳动合同的长期性、复杂性也决定着诚信原则在调整劳动关系和解决劳动争议的过程中起着不可或缺的作用。在休病假的过程中，诚信原则应体现在如下方面：

（1）劳动者的病伤应当需要停工休息治疗

任何企业都是由若干岗位组成，员工的到岗情况影响企业的整体运转，且用人单位在员工病假期间仍负有支付病假工资的义务，故劳动者的病假对企业必然产生影响。目前，因劳动者存在个体情况差异且涉及医疗专业领域，立法技术及司法实践中难以制定统一的标准判断劳动者的病伤是否需要停工休息。在此情况下，劳动者应当秉持诚信原则，在确实需要停工休息的情况下再行使病休权。

（2）在病休期间应当以恢复病情为目标，避免从事不利于恢复病情的活动

劳动者病休权的设立目的是让劳动者能在有生活保障的情况下安心养病养伤，这是病假区别于其他假期的特点。这种特征决定了劳动者在病假期间应当秉持诚信原则，从事的活动应当有利于治病、养病，不得借着病假的名义从事其他活动或者从事与其恢复健康、恢复劳动能力相悖的活动。本案中，毛某患有颈椎病，医生为其出具假条让其休息，但其在此休息期间从事多项不利于其恢复的活动，客观上会导致病休时间变长，变相侵害企业的用工权益。

（3）病假期间的长短应当根据病情恢复情况作相应的调整

劳动者在患病或受伤后，因个体情况的差异，医院一般会根据患者的描述

及病情出具建休时间，在此情况下，劳动者应当秉持诚信原则，如实向医生告知自己的身体情况。在病情已大部分恢复且没必要休长病假的情况下，应当避免休长病假，尽量减少企业损失，避免争议的发生。

2. 用人单位的病假管理权是否合理合法

劳动者行使病休权必然涉及用人单位对病假的管理，不需要履行任何请病假手续是脱离实际的，也缺乏相应的理论基础。根据《最高人民法院关于审理劳动争议案件适用法律问题的解释（一）》第五十条第一款的规定，用人单位根据劳动合同法第四条规定，通过民主程序制定的规章制度，不违反国家法律、行政法规及政策规定，并已向劳动者公示的，可以作为确定双方权利义务的依据。由此可以看出，在不违反法律、行政法规及政策的情形下，用人单位有权就病休程序作出相应的规章制度，行使对劳动者病休的管理权。由此可以看出，用人单位对劳动者的病假管理权存在现实基础及制度依据。

如何判断用人单位的病休管理权是否合理合法，笔者认为主要应当考虑用人单位病休管理是否符合一般认知且具有可行性。具体为以下几个方面：(1) 从请假时间上看，用人单位应当区分劳动者患病或受伤情况的严重及紧急程度，设置合理的时间履行请假手续；(2) 从请假手续上看，审批流程应当设置合理，要求职工提交的病历证明材料符合一般社会认知；(3) 从病假复核程序上看，如用人单位对劳动者提供的医疗证明材料存疑，应当设定一定的复核程序，如请有资质的医院共同复核等；(4) 从病假未予准许所设定的后果上看，不宜对劳动者过于严苛，应当根据劳动者不服从病假管理的情节采取相适应的措施。

本案中，制药公司的规章制度就病假管理作出明确且合理的规定。在双方发生争议前，制药公司已实际给予毛某近三个月的病休期，毛某在此期间未依据诚信原则行使其病休权利。制药公司行使合理的病假管理权，毛某应当予以配合，但毛某未予配合，制药公司有权依据其享有的病假管理权采取相应的措施，相应后果应由毛某自行承担。

编写人：江苏省无锡市滨湖区人民法院　曾文　李正晖

16

劳动者违反用人单位规章制度未达严重程度，用人单位不得以此为由解除劳动合同

——陈某诉模具公司劳动争议案

【案件基本信息】

1. 裁判书字号

江苏省盐城市中级人民法院（2021）苏09民终1995号民事判决书

2. 案由：劳动争议纠纷

3. 当事人

原告（被上诉人）：陈某

被告（上诉人）：模具公司

【基本案情】

陈某于2017年11月16日入职模具公司工作，2017年11月16日，双方签订《劳动合同书》。同日，陈某签署《公司员工手册阅读确认书》，载明：其已详细阅读并已全面理解公司的员工手册……承诺将严格遵守公司的规章制度，如有违反，将接受公司按照相关规定进行的各类处理。

2020年7月24日上午，公司某负责人组织陈某在内的四名员工召开晨会，负责人对陈某等人工作进度提出要求。会后不久，陈某等人找负责人理论，有大声争吵等行为。

2020年7月29日，模具公司工会委员会召开会议，参会委员一致同意公司给予陈某等人解除劳动合同的处罚决定。

2020年7月31日，模具公司向陈某等人发出《违纪通知单》，认为陈某等

人拒不服从部门经理工作安排，在办公场所大吵大闹，大声侮辱、恐吓、威胁公司管理人员，造成公司客户、其他员工闻声聚集，严重扰乱了公司正常工作秩序，严重损害了公司形象和声誉。根据《员工手册》等相关规定，对陈某作出自 2020 年 8 月 1 日起无偿解除劳动合同的处罚决定。

嗣后，陈某等人即向盐城经济技术开发区仲裁委员会申请劳动仲裁，要求模具公司支付违法解除劳动合同赔偿金 51600 元。前述仲裁委员会经审理后于 2020 年 9 月 21 日作出仲裁裁决：对陈某的仲裁请求，不予支持。后陈某不服，诉至法院。

另，模具公司的《员工手册》规定："员工有下列情况之一的，公司可以即时解除劳动合同且无需给予员工任何经济补偿。①员工严重违反劳动纪律或公司规章制度（包括员工手册）……"可给予解除劳动合同处罚的情形包括：胁迫上司，或蓄意违抗合理指挥，或打骂侮辱上司，情节严重者；对同事、管理人员、客户暴力恐吓、殴打、威胁，妨害团体秩序者；在办公场所大吵大闹或聚众闹事或对公司其他员工、客户进行侮辱、辱骂，严重扰乱正常工作秩序者；工作期间，与客户发生争吵或与同事之间发生斗殴者。

【案件焦点】

模具公司解除与陈某的劳动合同是否构成违法解除、应否支付经济赔偿金。

【法院裁判要旨】

江苏省盐城经济技术开发区人民法院经审理认为：《中华人民共和国劳动合同法》第三十九条第二项规定，劳动者严重违反用人单位的规章制度的，用人单位可以解除劳动合同。根据模具公司提供的视频资料显示，模具公司设计部负责人召集陈某等人召开晨会后，陈某等人即正常回到各自工位工作，后又找该负责人至办公室短暂地理论，其间存在拍桌子、大声争吵等发泄情绪的行为，前后大概 3 分钟，的确造成了一定的不良影响。但结合事发双方系上下级同事关系以及纠纷的起因等，陈某等人的行为尚未达到情节严重的程度，全程亦未存在使用暴力等恶性行为，也未对正常的工作秩序造成严重扰乱。模具公司对员工的管理应当有一定的包容性，对陈某等人的不当行为可以通过教育、警告等管理措施进行处理。模具公司以陈某违反《员工手册》为由，作出对陈某解除劳动合同决定的行为不当，故对于陈某主张违法解除劳动合同赔偿金，应予支持。故模具公司应当向陈某支付的经济赔偿金数额为 45539.88 元（7589.98 元×3 个月×2 倍）。

江苏省盐城经济技术开发区人民法院依照《中华人民共和国劳动合同法》第三十九条、第四十三条、第四十七条、第四十八条、第八十七条，《最高人民法院关于审理劳动争议案件适用法律若干问题的解释》第十三条、第十九条之规定，判决如下：

一、被告模具公司于本判决生效之日起十日内支付原告陈某赔偿金 45539.88 元；

二、驳回原告陈某的其他诉讼请求。

模具公司不服，提起上诉。江苏省盐城市中级人民法院经审理认为：模具公司主张陈某违反了公司《员工手册》，恐吓、威胁公司管理人员，严重扰乱公司正常生产经营秩序和严重损害公司形象和声誉等行为，故有权依法解除劳动合同。对于该主张，应当由模具公司举证证明，但其已举证据不足以证明其主张。一审法院对于陈某在模具公司发生的案涉行为认定客观、性质界定合理，论证翔实。

江苏省盐城市中级人民法院依照《中华人民共和国民事诉讼法》第一百七十条第一款第一项规定，判决如下：

驳回上诉，维持原判。

【法官后语】

企业内部规章制度系用人单位加强劳动管理，保障职工依法享有劳动权利和履行劳动义务的行为准则，是法律、法规的延伸和具体化，良好的规章制度对于提高企业劳动生产效率，保护职工和企业双方的合法权益，促进和谐稳定的用工关系具有重要意义。

1. 用人单位解除劳动合同之限制

根据《中华人民共和国劳动合同法》第三十九条第二项规定，劳动者严重违反用人单位的规章制度的，用人单位可以解除劳动合同。但实务中，个别用人单位可能会肆意认定劳动者“严重”违反用人单位的规章制度，进而违法解除劳动合同。而“严重”二字就是对用人单位解除权的限制，用人单位不能轻易以违反规章制度为由解除劳动合同，只有在劳动者严重违反规章制度的情形下，方可解除劳动合同。此限旨在防止“个体自治”模式下较弱的劳动者受到用人单位的摆布。

在司法实践中，应当注意三方面问题：一是从程序上看，审查规章制度的效力性；二是从内容上看，审查规章制度的合理性；三是从行为上看，审查劳动者违反规章制度的严重性。具体到本案，首先要认定模具公司的《员工手册》制定程序是否完善，其次要判断《员工手册》实质内容是否合理，最后结合案情判断陈某的行为是否构成“严重”违反规章制度的程度。

2. 用人单位规章制度之效力性

用人单位规章制度的制定程序是否完善决定了规章制度能否作为定案依据。为完善用人单位对劳动者的管理手段，也为保障规章制度对劳动者行为的引导性，法律对用人单位制定规章制度的程序亦作限制，根据《中华人民共和国劳动合同法》第四条以及《最高人民法院关于审理劳动争议案件适用法律问题的解释（一）》第五十条之规定，用人单位在制定涉及劳动者切身利益的规章制度可以作为审理依据需要满足两个条件：其一，与工会或职工代表平等协商确定；其二，向劳动者公示。只有满足条件，用人单位的规章制度才能在认定劳动者行为是否构成“严重”时具有适用的前提。本案中，模具公司在制定《员工手册》时，通过员工大会民主讨论、制定，在陈某入职时亦向其告知。因此，从事先制定程序上看，模具公司的规章制度具有效力，可以作为判断陈某等人行为严重性的依据。

3. 用人单位规章制度之合理性

规章制度的内容从实质上看应当具有合理性，用人单位在制定规章制度时实际是“个人自治”，其在界定“严重性”时难以排除用人单位惩戒权的滥用。因此，法院在审理时应当从衡平双方利益的角度出发，对用人单位自行界定“严重违反规章制度”是否合理进行判断。如果规章制度明显失之偏颇，则法院可以选择不将其作为审理依据。具体到本案，用人单位经民主程序制定的员工手册规定“对同事、管理人员、客户暴力恐吓、殴打、威胁，妨害团体秩序者”“在办公场所大吵大闹或聚众闹事或对公司其他员工、客户进行侮辱、辱骂，严重扰乱正常工作秩序者”，用人单位可以解除劳动合同，该规定具有合理性。

4. 劳动者违反规章制度行为之严重性

目前，对劳动者严重违反规章制度之严重性的界定并无明文规范，因此法院在判断劳动者的行为严重程度时，应当本着合理原则、公正原则、审慎原则，结合劳动者行为成因、事实以及后果等因素综合考量。劳动者虽有不当行为，但行为本身不严重、行为未造成严重后果时，应当谨慎判断劳动者行为的严重程度。一般而言，严重违反单位规章制度，表现为严重扰乱工作秩序致使工作无法正常顺利进行，或给用人单位造成严重的经济损失，或使用人单位在行业内名誉严重受损，否则不宜认定劳动者的行为具有严重性。本案纠纷的起因系陈某对上级的工作安排不满并与之理论，陈某仅存在一些发泄情绪的行为，虽造成了一定的不良影响，但并无违反单位规章制度的主观故意，客观上陈某不存在使用暴力或者暴力恐吓等行为，也未对正常的工作秩序造成严重扰乱。故用人单位解除劳动合同行为违法，应予以经济赔偿。

本案提醒用人单位在制定规章制度时应当注重程序规范、内容合理，同时，用人单位管理员工时应当具备一定的包容性，对员工工作中存在的不当行为，可以通过教育、警告等多种管理措施进行处罚，而不能轻易认定为“严重扰乱公司正常秩序”，甚至以此解除劳动合同。

编写人：江苏省盐城经济技术开发区人民法院　倪吉美　陈星如

17

离职证明的功能及其与解除协议的区别

——高某诉教育科技公司劳动争议案

【案件基本信息】

1. 裁判书字号

北京市第一中级人民法院（2021）京01民终1751号民事判决书

2. 案由：劳动争议纠纷

3. 当事人

原告（反诉被告、上诉人）：高某

被告（反诉原告、上诉人）：教育科技公司

【基本案情】

高某于2015年11月1日入职教育科技公司，岗位为研发工程师，双方签订有书面劳动合同，约定：甲方（教育科技公司）执行标准工时制，乙方（高某）每周正常工作时间为五天，每周工作时间不超过四十小时（不含用餐时间）；如因工作需要甲方安排乙方加班的，乙方承诺服从甲方在加班期间内的工作安排；乙方确因工作需要加班的，须事先按照甲方规章制度的相关规定履行加班申请和审批手续，经批准同意方可加班，否则不视为加班。高某于2017年5月5日签阅教育科技公司的《员工手册》，其中规定："不被视为加班的情况包括但不限于如下情形：未履行加班审批手续。"教育科技公司于每月月底通过银行转账形式向高某支付工资，高某入职时月工资标准为18000元，2016年4月起调整为21600元，2017年4月起调整为24192元，2018年4月起调整为27095元。

2019年8月8日，高某就本案纠纷提起仲裁申请。2019年12月23日，仲裁委裁决：一、教育科技公司支付高某2017年6月至2018年8月期间加班工资差额30464.19元；二、驳回高某的其他诉讼请求。双方不服上述裁决，均在法定期限内提起了诉讼。高某主张，在双方劳动关系存续期间，教育科技公司一直要求高某采用大小周方式提供劳动服务，即每两周安排周六加班一日。双方劳动关系存续期间，累计周末加班67.5天。但直到2017年6月，教育科技公司才按照一倍工资标准支付周末加班工资，与法定折算方法不同，存在拖欠加班工资的行为。

教育科技公司辩称，高某离职时已经签订承诺书，认可双方之间的工资、加班、经济补偿等已经全部结清，高某放弃了后续向公司主张任何补偿的权利。教育科技公司提交离职证明存根，证明高某离职时已确认其在职期间的工资、奖金、加班费，经济补偿等（如有）均已结清，不存在加班工资差额；提交2017年6月至2018年8月期间工资明细表，证明其已足额支付高某在职期间工资，不存在加班工资差额。离职证明存根内容如下："本人高某确认，在职期间的工资、奖金、加班费、经济补偿等（如有）均已结清；在按照公司要求办理完毕全部离职交接事项后，公司将剩余工资及经济补偿、加班费、医疗补助费等（如有）款项以银行转账形式在公司发薪日发放。本人放弃向公司主张任何权利的权利，并已于2018年8月10日领取离职证明。"经质证，高某对离职证明真实性、合法性认可，对证明目的不认可。

【案件焦点】

1. 劳动者在离职证明中对工资报酬、加班费、经济补偿等已经结清的确认不应视为在解除合同时劳动者就上述内容与用人单位协商一致；2. 劳动者的签字仅代表其对离职证明的签收，不具有处分、放弃民事权利的意思表示。

【法院裁判要旨】

北京市海淀区人民法院经审理认为：教育科技公司提交离职证明存根来证明高某在离职时确认加班费已结清，高某主张其系基于重大误解而签字。教育科技公司应当明知加班费的相关规定，但仅向高某支付单倍加班工资，确实存在克扣加班工资的情形，而该离职证明存根又系教育科技公司事先制作的格式文本，高某在不清楚加班费是否少发的情况下，在其上签字的行为应系重大误解，故对教育科技公司的该证据不予采纳。

北京市海淀区人民法院依照《中华人民共和国劳动法》第四十四条、《中华人民共和国民事诉讼法》第六十四条第一款、《最高人民法院关于适用〈中华人民共和国民事诉讼法〉的解释》第九十条规定，判决：

一、教育科技公司于判决生效之日起十日内支付高某 2017 年 6 月至 2018 年 8 月期间的加班工资差额 30464.19 元；

二、驳回高某的其他诉讼请求；

三、驳回教育科技公司的诉讼请求。

高某、教育科技公司均不服一审判决，提起上诉。北京市第一中级人民法院经审理认为：就高某在离职证明存根上的签字，从《中华人民共和国劳动合同法》的相关规定可见，首先，离职证明是用人单位在解除或者终止劳动合同时向劳动者出具的证明。其次，由用人单位为劳动者及时出具离职证明，是劳动合同法加于用人单位的法定义务，离职证明基本上由用人单位单方制作，其具体内容往往亦未经与劳动者协商一致达成。因此，离职证明应当载明的只是有关双方劳动合同履行的基本信息，这些信息具有易于证明、不容易起争议的特点。如果仅因劳动者的签字，就将其理解成双方的合意甚至是劳动者的单方承诺，进而认定劳动者已经与用人单位结清了债权债务或者单方抛弃了某些权利，那么显而易见的是：用人单位只要让劳动者在离职证明上签字，就轻松地将本属于其法定义务的出具证明的行为，变成了减轻或免除自身债务、对劳动者不利的手段。这显然与劳动合同法的立法本意背道而驰。既然为劳动者出具离职证明被规定为用人单位的一项法定义务，那么出具离职证明的目的就只能是促进和保障劳动者的劳动权益，而不是保护原用人单位的利益，且劳动合同法也没有规定劳动者需要在离职证明上签字确认。因此，对于劳动者签名的法律效果，原则上应解释为其对收到离职证明的一种确认，也就是签收的效果。

本案中，高某在离职证明存根上签字，而离职证明存根是离职证明的一部分，该签字仅代表高某签收了离职证明，不具有处分、放弃民事权利的意思表示。高某主张的加班工资应根据实际情况重新核算。

北京市第一中级人民法院依照《中华人民共和国劳动法》第四十四条，《中华人民共和国劳动合同法》第二十三条、第二十四条、第五十条、第八十九条，《中华人民共和国劳动争议调解仲裁法》第六条，《中华人民共和国劳动合同法实施条例》第二十四条，《中华人民共和国民事诉讼法》第一百七十条第一款第二项规定，判决：

一、撤销一审判决；

二、教育科技公司于本判决生效之日起十日内向高某支付2015年11月至2018年8月期间加班工资差额95680.31元；

三、驳回高某的其他诉讼请求；

四、驳回教育科技公司的诉讼请求。

【法官后语】

本案中劳动者在离职证明存根上签字“确认其在职期间的工资、奖金、加班费、经济补偿等均已结清，本人放弃向公司主张任何权利的权利”，用人单位据此认为劳动者已经丧失主张相关权利的依据。此种确认非常类似解除劳动合同时劳动者与用人单位达成的解除协议，实践中二者很容易混淆，本案一审法院就是如此，只不过一审法院同时认定该协议存在重大误解而没有采纳。实际上，解除协议与“离职证明上的确认”存在本质不同，本案两审法院最终处理结论虽然相同，但论证角度和过程存在明显区别，具体分析如下：

1. 离职证明的功能与内容

《中华人民共和国劳动合同法》第五十条第一款规定，用人单位应当在解除或终止劳动合同时出具解除或者终止劳动合同的证明，并在十五日内为劳动者办理档案和社会保险关系转移手续。从上述规定可以看出，离职证明的功能是证明劳动者与原用人单位劳动合同的履行、解除或者终止情况，从而有利于劳动者与新的用人单位建立劳动关系。同时，由用人单位为劳动者及时出具离职证明，是劳动合同法加于用人单位的法定义务，用人单位违反该义务，可能会导致被责令改正、赔偿劳动者的损失等法律责任的产生。

《中华人民共和国劳动合同法实施条例》第二十四条以列明的方式规定了用人单位出具的离职证明，应当写明劳动合同期限、解除或终止劳动合同的日期、工作岗位、在本单位的工作年限。虽然有观点认为，法律并未禁止用人单位就劳动者在职期间的客观情况进行描述，即使是对劳动者不利的信息，只要记载内容是客观真实的就不应当被认定为违法，但主流观点还是认为，离职证明记载的内容仅限于劳动合同法实施条例规定的范围，用人单位不得滥用自己的垄断性话语权在未经劳动者同意的情况下记载其他内容，如离职原因、在职期间的工作表现及品行等，这既是为了平衡劳动者与用人单位之间的不平等关系，也是为了保障劳动者的就业权。

2. 离职证明与解除协议的区别

向劳动者出具离职证明被规定为用人单位的一项法定义务，离职证明基本上由用人单位单方制作，其具体内容往往未经与劳动者协商一致达成。这也是离职证明与解除协议最大的区别。即便离职证明经劳动者签字确认，其上有关权利处分、债务结算的内容亦不能视为双方达成的合意。对此，二审判决“本院认为”部分已经进行了阐明。劳动者对离职证明的签字仅具有签收的效果，即确认其收到了离职证明，不具有处分、放弃民事权利的意思表示。如果在解除时用人单位希望与劳动者就劳动关系项下的权利义务一并处理，则应与劳动者签订正式的解除协议，在解除协议中进行明确约定。

编写人：北京市第一中级人民法院　范楷强

18

试用期不合格解除劳动合同的司法认定

——技术公司诉梁某劳动争议案

【案件基本信息】

1. 裁判书字号

北京市第二中级人民法院（2021）京02民终8926号民事判决书

2. 案由：劳动争议纠纷

3. 当事人

原告（上诉人）：技术公司

被告（被上诉人）：梁某

【基本案情】

技术公司、梁某于2020年5月13日签订《劳动合同》，梁某入职技术公司，担任运营总监，劳动合同期限为2020年5月13日至2023年5月12日，试用期为6个月，工资标准为基本工资每月29600元，绩效工资每月7400元。合同约定“在试用期内，如果公司认为员工不符合录用条件，公司可立即与员工解除劳动关系，且无需提前通知或支付经济补偿”。当日，技术公司向梁某发出《聘用函》，载明技术公司在试用期内考核新员工的基本录用条件包括“符合并能够通过公司及上级制定的试用期考核，试用期考核合格”，不录用条件包括“不能按质按量完成工作任务，试用期考核评估不合格等”。

梁某入职后，两周考核的考核结果为合格；一个月考核的结果为合格；三个月考核内容为“1. 达成短期目标：发券不少于5000张（免费领取模式），或者售卖不少于1000份；2. 团队高效运转、战斗力强”，考核结果为不合格。梁某质疑该考核结果，提出考核人钱某不是其直接领导，只是挂名领导，其考核缺乏严谨性和客观性；技术公司考核不规范，整个流程违反规定，考核结果是在11个工作日后梁某才收到的。2020年8月31日，技术公司向梁某发送《试用期终止劳动合同通知》，载明因梁某试用期考核评估不合格，技术公司决定于2020年8月31日依法终止与梁某签订的劳动合同。

梁某在本案诉讼之前向北京市劳动人事争议仲裁委员会提起仲裁申请，要求技术公司支付违法解除劳动合同赔偿金46105.9元。北京市劳动人事争议仲裁委员会于2020年11月9日对双方争议作出裁决：一、技术公司于本裁决生效之日起十日内，一次性向梁某支付违法解除劳动合同赔偿金35145元；二、驳回梁某的其他仲裁请求。技术公司不服，遂提起本案诉讼。

对于终止劳动合同原因，技术公司表示系梁某在管理过程中出现严重问题，管理方式简单粗暴，团队成员信任感破裂，所负责团队人员流失率过高。另，《员工离职面谈表》中“离职原因”第七项“与上司/同事的关系”评分处确有修改，开始为4分，后改为1分。技术公司表示系离职人员修改，梁某对此不予认可。

【案件焦点】

公司以劳动者试用期不合格要求解除劳动合同的标准认定。

【法院裁判要旨】

北京市东城区人民法院经审理认为：梁某入职后，三次考核中前两次均为合格，仅第三次评估结果为不合格，且前两次考核中，评估人处均载明钱某，但第三次考核评估人处为空白，且亦未按人力部门要求的时间进行。同时，技术公司提交的证据不足以证明梁某在管理过程中出现严重问题、管理方式简单粗暴、团队成员信任感破裂、所负责团队人员流失率过高。首先，钱某现仍在技术公司处工作，与技术公司存在利害关系；其次，证言均形成于技术公司与梁某解除劳动合同之后，证人的《员工离职面谈表》中“离职原因”打分处针对“与上司/同事的关系”有修改痕迹，且证人的离职证明和离职报告中均载明离职原因为“个人原因”；最后，梁某不认可证言中所述内容，经一审法院释明，技术公司明确表示不申请证人出庭，故应自行承担相关不利后果。综合上述原因，技术公司证据不足以证明梁某在试用期间不符合录用条件，故技术公司在2020年8月31日与梁某解除劳动合同无事实和法律依据，构成违法解除劳动合同关系。

北京市东城区人民法院根据《中华人民共和国劳动合同法》第四十七条、《中华人民共和国劳动合同法实施条例》第二十七条规定，判决：

技术公司支付梁某违法解除劳动合同赔偿金35145元。

技术公司不服，提起上诉。北京市第二中级人民法院经审理认为：首先，技术公司的《聘用函》中载明的录用条件为“符合并能够通过公司及上级制定的试用期考核，试用期考核合格”，但并未明确几次考核不合格即不予录用，技术公司亦未提交证据证明其曾告知梁某只要一次考核不合格即不予录用，而梁某在试用期内的前两次考核评估均为合格，仅第三次考核评估结果为不合格。其次，技术公司上诉主张梁某在工作期间管理方式简单粗暴等，但技术公司所提交的书面说明不具有可信度，仅凭上述证据无法证明梁某存在前述问题。最后，梁某于2020年8月31日上午收到解除合同通知，当日下午收到三个月考核不合格的考核表。即便如技术公司所述，其系同一时间向梁某发送解除合同通知和考核表，但技术公司并未在向梁某发送考核表后给予其必要的申辩机会，且未提交证据证明其就解除事宜与梁某进行了沟通，故技术公司与梁某解除劳动关系在程序上亦存在瑕疵。

北京市第二中级人民法院依照《中华人民共和国民事诉讼法》第一百七十条第一款第一项规定，判决如下：

驳回上诉，维持原判。

【法官后语】

试用期是员工和企业建立劳动关系后，为了相互了解而约定的考察期，是双方双向选择的一种表现，试用期一般不能超过6个月。基于试用期的特殊性质，劳动者与用人单位就试用期的工资、解除、延长等问题经常发生纠纷，不同的事由会产生不同的判决，具体要考量以下几个方面。

1. 试用期解除合同要有明确的标准

用人单位以试用期间不符合录用条件或求职条件与劳动者解除劳动合同，要从以下几点进行分析：(1) 用人单位作为用工主体，应该在发布聘用信息的时候就明确录用条件、岗位、试用期间等，特别是试用期的考核标准，用人单位要解除劳动合同，就必须举证证明劳动者未达到录用条件；(2) 录用条件应当与劳动合同目的一致，不能设定劳动者明显不能完成或超过一般劳动者水平、违反法律规定等录用条件；(3) 试用期解除要在试用期满前告之劳动者。本案中，用人单位解除劳动合同的依据仅为《聘用函》，且《聘用函》中并未明确约定不予录用的条件，亦未明确几次考核中有几次不合格就可以解除劳动合同，故不能仅依据三次考核中一次考核不合格而解除劳动合同，这是典型的因录用条件不明确导致的违法解除。

2. 试用期解除劳动合同亦要程序合法

一方面，试用期解除劳动合同，要在试用期限届满前告之劳动者考核不合格的事由，并给予其申辩的合理期限，不符合录用标准的，要在试用期届满前告之劳动者解除劳动合同。另一方面，试用期的考核不是单凭“打分”或“领导签字”就可以证明劳动者是否符合录用条件，而是需要严格的考核流程和考核条件，以此防止解除劳动合同的任意性。

3. 对试用期条款免除用人单位责任、排除劳动者权利的约定无效

如果劳动合同中有关于试用期的条款，也应该满足《中华人民共和国劳动合同法》第三十九条和第四十条第一项、第二项规定的情形，才能解除劳动合同，不能通过约定免除用人单位责任，排除劳动者权利。本案中，双方约定“在试用期内，如果公司认为员工不符合录用条件，公司可立即与员工解除劳动关系，且无需提前通知或支付经济补偿”，变相扩大公司解除的权利，应属无效。

4. 区分“不符合录用标准”与“不能胜任工作”

根据劳动法相关规定，劳动者在试用期被证明不符合录用条件的，用人单

位可以解除劳动合同并无须支付经济补偿；而劳动者不能胜任工作，则必须是用人单位在对其经过培训或者调整工作岗位后，仍不能胜任工作，才能依法解除劳动合同。因此，不能随意混淆劳动法上的概念，不能让试用期成为用人单位解除劳动合同的“避风港”，不能因为在试用期，就任意扩大企业自主经营权，否则会导致企业在试用期内权利滥用，损害劳动者权利。

编写人：北京市东城区人民法院　闫薇　刘杰

19

视为订立无固定期限劳动合同后再签订固定期限劳动合同，用人单位不得以合同期满为由单方终止劳动合同

——钱某诉设备公司劳动合同案

【案件基本信息】

1. 裁判书字号

江苏省无锡市中级人民法院（2021）苏02民终4352号民事判决书

2. 案由：劳动合同纠纷

3. 当事人

原告（上诉人）：钱某

被告（被上诉人）：设备公司

【基本案情】

2019年1月1日，钱某与设备公司签订劳动合同，约定劳动合同期限为2019年1月1日至2019年12月31日，工作岗位为操作工，月工资为2020元。2020年1月14日，设备公司发布通知，载明因市场形势严峻、行业发展不景气，包括钱某在内的名单中员工在2020年春节过后等通知上班。钱某最后工作

至2020年1月15日。2020年3月10日，设备公司为钱某办理了《解除或终止劳动关系登记备案单》，载明因劳动者提前三十日书面通知用人单位解除劳动合同，双方于2020年2月29日解除或终止劳动关系。对此，设备公司表示系因合同到期而终止合同；钱某表示系设备公司在其不知情的情况下，以其主动辞职为由办理退工手续，设备公司系违法解除劳动合同，应支付赔偿金。

关于此前双方间的劳动关系，钱某陈述其自2010年底经人介绍至设备公司做临时的焊工，当时的工资是8小时200元。2016年春节后开始成为正式员工，约定工资为230元/天，加班工资另算。设备公司对此不予认可。诉讼中，钱某提供2017年、2018年的工资条及工资发放银行流水记录，工资条所载实付工资金额与设备公司及其法定代表人向钱某所转账金额可相互印证。二审法院经审查确认钱某与设备公司在2017年、2018年存在事实劳动关系。

【案件焦点】

设备公司是否违法解除与钱某劳动关系，应否支付赔偿金。

【法院裁判要旨】

江苏省无锡市惠山区人民法院经审理认为：根据双方签订的劳动合同约定，劳动合同期限为2019年1月1日至2019年12月31日，设备公司于2020年1月14日发布的通知内容表明，2019年12月31日劳动合同期满后不再与钱某续订劳动合同。钱某亦陈述看到通知后其心里也清楚公司不再要其上班，故对设备公司辩称双方劳动关系终止的意见予以采纳。劳动合同终止的，用人单位应向劳动者支付经济补偿金。钱某坚持主张设备公司支付违法解除劳动合同赔偿金，故对钱某的主张不予支持。

江苏省无锡市惠山区人民法院依照《中华人民共和国民事诉讼法》第六十四条第一款之规定，判决：

驳回钱某的全部诉讼请求。

钱某不服，提起上诉。江苏省无锡市中级人民法院经审理认为：劳动合同期满以后，除钱某拒绝续订劳动合同或者要求签订固定期限劳动合同外，设备公司应当与钱某订立无固定期限劳动合同。本案中，钱某在劳动合同期满后继续在设备公司工作，但是设备公司于2020年1月14日单方通知钱某等候通知上班，并正式办理了钱某的退工备案手续，该行为不符合法律规定用人单位可以提出终止或解除劳动合同的情形，故属于违法解除劳动合同，应当支付经济赔偿金。

江苏省无锡市中级人民法院依照《中华人民共和国劳动合同法》第十四条、第四十七条、第四十八条、第八十七条，《中华人民共和国民事诉讼法》第一百七十条第一款第二项之规定，判决如下：

一、撤销一审判决；

二、设备公司应于本判决生效之后10日内支付钱某经济赔偿金38397.3元；

三、驳回钱某其他诉讼请求。

【法官后语】

无固定期限劳动合同是为了防止劳动合同期限短期化，构建和发展和谐稳定的劳动关系而设立的，用人单位或劳动者任何一方非依法律规定不得终止或解除劳动合同。本案中，用人单位与劳动者在形成无固定期限劳动合同关系后，再行签订固定期限劳动合同，用人单位能否以劳动合同期满为由解除合同并无明确规定，但连续订立两次固定期限劳动合同后尚且应当订立无固定期限劳动合同，“举轻以明重”，劳动者仍可要求订立无固定期限劳动合同，用人单位不得单方终止或解除劳动合同。

1. 用人单位与劳动者形成无固定期限劳动合同关系后，经平等协商可再次订立固定期限劳动合同

《中华人民共和国劳动合同法》第十四条第三款规定，用人单位自用工之日起满一年不与劳动者订立书面劳动合同的，视为用人单位与劳动者已订立无固定期限劳动合同。该款作为法律拟制情形，是为践行“劳动者倾斜保护原则”，督促用人单位与劳动者及时签订书面劳动合同而规定的。本案中，钱某至少于2017年至2018年间即在设备公司工作，双方未签订劳动合同已满一年，应视为双方已订立无固定期限劳动合同。无固定期限劳动合同虽是为了稳定劳

动关系，但更注重通过解雇保护制度以保护劳动者的就业安全权。[①] 如用人单位与劳动者已经存在无固定期限劳动关系，从保护当事人意思自治的角度，双方固然可经平等协商再行订立固定期限劳动合同，但是应当排除用人单位以签订固定期限劳动合同的方式弱化劳动者原已获得的长期就业保障权益。

2. 形成无固定期限劳动关系后订立的固定期限劳动合同期满的，应订立无固定期限劳动合同

根据《中华人民共和国劳动合同法》第十四条第二款第三项规定，已连续订立二次固定期限劳动合同，续订劳动合同的，除劳动者提出订立固定期限劳动合同外，应当订立无固定期限劳动合同。“举轻以明重”，无固定期限劳动合同相较于固定期限劳动合同，可以更好地保护劳动关系，避免用工关系短期化。订立或视为订立无固定期限劳动合同后再签订固定期限劳动合同，更应当限制用人单位利用优势地位在后一次固定期限劳动合同期满再次订立固定期限劳动合同或单方终止合同的权利。用人单位不续签无固定期限劳动合同但仍继续履行合同的，则可适用《最高人民法院关于审理劳动争议案件适用法律问题的解释（一）》第三十四条第二款的规定，视为双方之间存在无固定期限劳动合同关系，并以原劳动合同确定双方的权利义务关系。

3. 形成无固定期限劳动关系后订立的固定期限劳动合同期满的，用人单位以合同期满为由单方终止劳动合同，需承担相应责任

实践中对于连续订立两次固定劳动合同期满之后用人单位是否有权选择终止劳动合同问题存有争议。笔者认为，根据《中华人民共和国劳动合同法》第十四条第二款第三项规定，连续两次订立固定期限劳动合同后，劳动者有选择续订合同的权利，用人单位有根据劳动者选择而签订的义务，而没有第二次固定期限劳动合同到期后选择终止劳动合同的权利，否则该法律条款就被实质性架空。同上所述，在用人单位与劳动者形成无固定期限劳动关系后再订立固定期限劳动合同的，该固定期限劳动合同期满后用人单位也没有单方终止和解除

① 参见谢增毅：《无固定期限劳动合同的价值及其规制路径——以〈劳动合同法〉第14条为中心》，载《比较法研究》2018年第4期。

合同的权利。用人单位以合同期满为由要求终止劳动合同，系规避其所应承担的强制缔约义务，应予以否定性评价。该行为不符合法律规定的劳动合同终止情形，亦不属于用人单位可以解除劳动合同的法定情形，系违法终止或解除劳动合同。根据《中华人民共和国劳动合同法》第四十八条规定，劳动者要求继续履行劳动合同的，用人单位应当继续履行；劳动者不要求继续履行或者劳动合同已经不能继续履行的，用人单位应当支付赔偿金。

编写人：江苏省无锡市中级人民法院　李佳　宋婉龄

20

同事代为提交未手写签名的辞职信是否认定为主动辞职

——杨某诉南京某医院追索劳动报酬、经济补偿金案

【案件基本信息】

1. 裁判书字号

江苏省南京市中级人民法院（2021）苏01民终1388号民事判决书

2. 案由：追索劳动报酬、经济补偿金纠纷

3. 当事人

原告（上诉人）：杨某

被告（被上诉人）：南京某医院

【基本案情】

2019年2月26日，杨某与南京某医院签订劳动合同一份，约定：劳动合同期限自2019年3月1日起至2023年3月31日止，杨某从事护理工作，平均每天工作时数为7小时，每周休息1日，基本工资为税前每月2020元等。后杨某在医院护士长岗位从事护理工作。

2020年4月2日上午，医院召开临时会议，护理部主任赵某、护士长杨某（本案原告）、护士武某等人达到会议现场后，赵某与医院负责人孙某发生争执，让武某当场提交五份辞职信（包括杨某等5人，辞职信内容一致，且均为打印签名），医院负责人当场询问杨某等人是否集体辞职，杨某等人表示辞职后离开会议室，但护士马某当场表示不同意与他人集体辞职，表示继续在医院工作。

2020年4月7日，医院发文通知各科室及杨某本人，免去杨某护士长职务。2020年4月9日，医院书面通知杨某：4月10日完成离职交接、4月工资发放至4月10日、如未完成交接手续4月工资暂缓发放。

2020年4月10日，杨某办理离职工作交接手续，并在交接表上注明：本人杨某于2020年4月10日被医院辞退。2020年5月6日，杨某提起劳动仲裁申请，仲裁委依法终结审理后，2020年7月14日，杨某诉至法院，要求医院支付4月工资708.89元、违法解除劳动合同赔偿金37333.33元。

【案件焦点】

1. 他人代为提交本人未签字的辞职信，能否认定为主动辞职；2. 劳动者能否要求用人单位支付违法解除赔偿金。

【法院裁判要旨】

江苏省南京市高淳区人民法院经审理认为：被告不构成违法解除，不需支付赔偿金。《中华人民共和国劳动合同法》第三十七条规定，劳动者提前三十日以书面形式通知用人单位，可以解除劳动合同。本案中，根据证人马某、陈某等人的陈述及原告对证人马某证言的意见等考虑，法院对原告等人在2020年4月2日被告召开的会议上提出辞职的事实予以认定。原告的书面辞职信虽系他人代交，但其在现场并未提出异议，之后亦未主动索回辞职信，故应视为其以书面形式通知用人单位解除劳动合同。原告未在辞职信上签名，并不影响其以书面形式通知用人单位解除劳动合同的效力。被告根据原告提交的辞职信，同意与原告解除劳动合同关系，免去原告职务并通知其办理离职交接手续，符合法律规定。现原告以被告违法解除劳动关系为由主张赔偿金，无事实依据，法院不予支持。

江苏省南京市高淳区人民法院依照《中华人民共和国劳动合同法》第三十条、第三十七条，《最高人民法院关于审理劳动争议案件适用法律若干问题的解释》第十三条之规定，判决如下：

一、被告南京某医院支付原告杨某 2020 年 4 月份劳动报酬 708.77 元，限判决发生法律效力之日起 5 日内付清；

二、驳回原告杨某的其他诉讼请求。

杨某不服，提起上诉。江苏省南京市中级人民法院经审理认为：《中华人民共和国劳动合同法》第三十七条规定赋予了劳动者单方解除劳动合同的权利，该解除权是一种形成权，只要享有解除权的当事人作出解除的意思表示并到达对方，就发生解除的法律效力。根据马某、孙某等证人证言内容及杨某的陈述可知，会议当天，他人代替杨某向南京某医院作出辞职的意思表示并代交辞职信，杨某当时在现场并未像马某那样主动明确表示不辞职，也未主动取回辞职信，而是与他人一起离开会议室。可见，杨某关于解除劳动合同的意思表达已经传达至南京某医院，即杨某享有的单方解除劳动合同的权利已履行完毕，双方之间的劳动合同产生解除的法律效力，杨某主张南京某医院支付违法解除劳动关系的赔偿金，缺乏事实和法律依据，不予支持。一审法院判决认定事实清楚，适用法律正确。

江苏省南京市中级人民法院依照《中华人民共和国民事诉讼法》第一百七十条第一款第一项之规定，判决如下：

驳回上诉，维持原判。

【法官后语】

为保护劳动者的基本权利，促进人力资源的合理流动和优化配置，《中华人民共和国劳动法合同法》第三十七条、第三十八条赋予了劳动者单方解除劳动合同的权利，即辞职权，其中分为即时辞职权和预告辞职权。从辞职原因出发，可分为：公司无过错，劳动者无因辞职，不可获得经济补偿金；劳动者因法定原因辞职，可获得经济补偿金。

本案的审理难点是如何审查劳动者的辞职行为。对此，存在两种观点。第一种观点认为，法律中对辞职报告是否需要本人签字确认并无规定，但劳动者作为劳动关系中的相对弱势方，对于劳动合同解除的认定应秉持严格、审慎态度，未签字的辞职报告应认定为无效，用人单位的行为属于违法解除劳动合同，需赔偿。第二种观点则认为，劳动者的辞职权系形成权，一经劳动者作出并有效到达对方时，该项权利即成立并生效，非经法定事由及程序不得随意撤销。本案中劳动者虽未在辞职报告上签字，但并不影响其辞职的意思表示已到达用人单位，劳动者已单方行使解除权，用人单位不需赔偿。

1. 行使预告辞职权的程序和条件

根据《中华人民共和国劳动合同法》第三十七条，预告期的规定既是解除劳动合同的程序，也是解除劳动合同的条件。一方面是时间要求，劳动者需提前三十日通知用人单位，从而保持劳动过程的连续性，确保正常的用工秩序，避免因解除劳动合同影响企业的生产经营活动。另一方面是形式要求，以书面形式通知用人单位。除此之外，劳动者以何种形式提交书面材料、是否需要本人签字确认、是否办理交接等，法律对此并无明确规定，对劳动者辞职不予过多限制，贯彻了倾斜保护劳动者的原则。但在案件的实际审理中，往往涉及多种情况与因素，需要综合“主体要件、意思表示、法律规定”三要素进行审查与考量。

一是行为主体要件，首先行为主体应为完全民事行为能力人且为劳动合同法所调整的“劳动者”，其次该劳动者行使辞职权时是一个“自由人”角色，不存在其他限制，如劳动服务期、保密条款和竞业限制等；二是行为人意思表示的判断，主要考察劳动者辞职时的主观意图，重点探寻、确定劳动者辞职时表达意志是否自由、自主，辞职意愿是否清晰、准确，加之客观效果作为辅助考量；三是行为是否符合法律规定，法律往往对具体的民事法律行为规定了具体的构成要件。比如劳动者辞职权为形成权，意思表示有效传达至用人单位即可。

2. 辞职权的行使与用人单位权益保障的平衡

劳动者的辞职权与雇主追求的职场秩序和安定形成一定张力，这主要体现在：第一，劳动者的随意辞职可能影响雇主的生产经营秩序；第二，劳动者的辞职权也使雇主时常处于一种缺乏预期的状态；第三，劳动者的辞职权也会影响雇主对劳动者人力资本的长期投入。法律需要通过适当的机制和规则，在保护劳动者辞职权的同时，实现劳动者权利和雇主利益之间的平衡。

本案中，综合杨某的辞职行为、辞职权与用人单位权益保障的平衡双重考量，基于诚实信用原则，杨某虽未在辞职信上签名，但并不影响其以书面形式通知用人单位解除劳动合同的效力，在用人单位未有过错的情况下，双方之间的劳动合同解除系杨某提出，其主张支付违法解除劳动关系的赔偿金，缺乏事实与法律依据，不应支持。

编写人：江苏省南京市高淳区人民法院　唐奥平

21

“无过失性辞退”条款中因果关系的认定

——财险公司诉任某劳动争议案

【案件基本信息】

1. 裁判书字号

北京市第一中级人民法院（2021）京01民终4596号民事判决书

2. 案由：劳动争议纠纷

3. 当事人

原告（上诉人）：财险公司

被告（被上诉人）：任某

【基本案情】

任某2016年7月1日入职财险公司，双方签订劳动合同约定：工作地点为北京市；若财险公司因实际需要搬迁至另一工作地点，或任某因工作性质改变导致工作地点发生变更，则任某同意合同约定的工作地点自动变更为新工作地点。劳动合同到期后，双方续订劳动合同。任某入职后在A大厦工作，该大厦位于北京市西城区。2020年3月26日，财险公司向部分员工发送内容为“4月7日原A大厦所有部门搬至B大厦（位于北京市延庆区）办公”的通知。其后，财险公司人力资源部与任某就解除劳动合同相关事宜进行协商。4月1日，财险公司人力资源部向工会发出《关于调整员工任某办公职场的通知工会函》，载明A大厦租期将于4月6日到期，届时不再续租；拟将任某办公地点调整为B大厦。4月2日，财险公司工会委员会发出复函，同意公司调整任某办公地点。4月3日，财险公司通知任某于4月7日到延庆上班，逾期不到视为旷工，逾期三日视为自动辞职。4月9日，任某向财险公司回复不同意临时更换办公地点至延庆。4月13日，财险公司再次发送《返岗通知书》，通知任某于4月14日到延庆上班，逾期不到视为旷工，逾期三日视为自动辞职。4月14日，任某向财险公司发送回复，表示不同意调岗并更换工作地点至延庆。其间，任某未到延庆报到，财险公司分别于4月9日、4月15日发送旷工通知。4月20日，财险公司向工会发邮件，决定于4月20日与任某解除劳动合同，就此征求工会意见。工会委员会复函，同意解除与任某的劳动合同。4月20日，财险公司向任某发送解除劳动合同通知书，载明“你存在以下严重违纪行为：1. 累计旷工10个工作日；2. 经多次通知拒不到岗。故公司决定于2020年4月20日与你解除劳动合同”。

2020年4月21日，任某向西城仲裁委提交仲裁申请，要求财险公司支付4月1日至4月20日工资、违法解除劳动合同赔偿金等，出具解除劳动合同证明、办理社保转移手续。西城仲裁委裁决：财险公司向任某支付工资7949元，支付违法解除劳动合同赔偿金104196元，为任某出具解除劳动合同证明并办理社保转移手续。财险公司不服，遂成讼。

【案件焦点】

1. 财险公司与任某解除劳动合同属合法解除还是违法解除；2. 财险公司应否支付任某 2020 年 4 月 1 日至 2020 年 4 月 20 日期间的工资。

【法院裁判要旨】

北京市延庆区人民法院经审理认为：用人单位与劳动者在劳动合同中宽泛地约定工作地点是“全国”“北京”等，属于对工作地点约定不明。劳动者在签订劳动合同后，已经在实际履行地点工作的，视为双方确定具体的工作地点。用人单位不得仅以工作地点约定为“全国”“北京”为由，无正当理由变更劳动者的工作地点。本案中，劳动合同中约定任某工作地点为“北京市”，因此应认定双方对于工作地点的约定属于约定不明。任某入职后工作地点一直在北京市西城区，故应视为双方确定的工作地点为北京市西城区。财险公司调整任某的工作地点至延庆区，调整后的工作地点明显远于此前工作地点，在任某及时明确表示不同意的情况下，财险公司并未对任某的工作岗位在原工作地点范围内进行调整，也没有为任某到延庆工作提供必要的便利条件或采取弥补措施，而是坚持要求任某到延庆上班，对劳动者显属不公。

劳动者的出勤情况应由用人单位承担举证责任。任某提交了考勤打卡记录和部分工作记录证明其该时间段一直在 A 大厦工作。财险公司虽不认可任某 4 月 7 日至 4 月 20 日在 A 大厦的考勤打卡记录，但并未提交反映任某实际出勤情况的相关证据，故应由财险公司承担不利后果，认定 2020 年 4 月 7 日至 4 月 20 日期间任某仍在 A 大厦工作。

北京市延庆区人民法院依照《中华人民共和国劳动法》第五十条，《中华人民共和国劳动合同法》第三十条第一款、第四十七条、第四十八条、第八十七条，《中华人民共和国劳动合同法实施条例》第二十七条之规定，判决如下：

财险公司支付任某违法解除劳动合同赔偿金 104196 元；支付任某工资 5732 元；为任某出具解除劳动合同证明并办理社会保险关系转移手续。

财险公司不服一审判决，提起上诉。北京市第一中级人民法院经审理认为：财险公司上诉主张变更任某工作地点属于劳动合同订立时所依据的客观情况发生重大变化而致使劳动合同无法履行的情形，但其未能就此提交相应的证据，且其于二审中认可仅任某一人涉及工作地点从 A 大厦调整至 B 大厦，故对其该项上诉主张不予采纳。因财险公司单方调整任某工作地点缺乏合法性和合理性，故财险公司以任某存在旷工和多次通知拒不到岗的严重违纪行为为由解除劳动合同缺乏事实依据，构成违法解除，其公司应当支付任某违法解除劳动合同赔偿金。

北京市第一中级人民法院依照《中华人民共和国民事诉讼法》第一百七十七条第一款第一项规定，判决如下：

驳回上诉，维持原判。

【法官后语】

本案涉及的法律问题是《中华人民共和国劳动合同法》第四十条第三项的理解与适用。劳动合同法第四十条第三项属于“无过失性辞退”条款，该条款体现了情势变更原则在劳动合同法领域的适用，属于契约严守原则在特定情形下的例外与突破，其实质是诚实信用原则在合同履行过程中的具体运用，目的在于使合同利益在当事人之间均衡分配，消除在情势变更后继续履行造成的不公平后果。

用人单位在适用该条款解除劳动合同时，需同时满足以下三个要件：一是劳动合同订立时所依据的客观情况发生重大变化，导致原劳动合同无法继续履行的情形出现；二是用人单位与劳动者协商未能就变更劳动合同达成一致意见；三是用人单位履行通知工会等程序要求。上述要件中，司法审查的重点和难点历来是要件一，论述集中于是否存在客观情况发生重大变化。在适用过程中，审判人员往往在认定“客观情况发生重大变化”后直接导出“原劳动合同无法继续履行”的结论，而忽略二者之间的因果关系。

因果关系理论在刑事及侵权案件审判过程中被广泛运用，查明因果关系往往是定罪量刑及确定责任分担比例的重要一环。而在劳动合同法领域，因果关系往往由于其显而易见性而被忽略，不仅在法律文书中较难看到关于因果关系的论证，甚至在法官“自由心证”过程中因果关系也常常被忽略。下面，笔者结合本案情况谈该财险公司主张的“客观情况发生重大变化”与其和任某之间的劳动合同无法继续履行是否具有因果关系。

对于企业来说，客观情况发生重大变化，系指受法律、法规、政策变化导致用人单位迁移、资产转移或者停产、转产、转（改）制等重大变化，但上述情况的变化并不必然导致经营架构调整、部门裁撤、办公场所变化，进而造成原劳动合同无法继续履行或继续履行成本过高、显失公平等。故在认定“劳动合同订立时所依据的客观情况发生重大变化致使原劳动合同无法履行”的过程中，应着重甄别上述“办公场所变化”产生的“原因”是否为“客观情况发生重大变化”，从而将其与“商业风险”“企业经营自主权”区别开来。例如，受政策影响，企业转产可能会导致相关专业技术工人的劳动合同无法继续履行，但一般不影响原财务、人力等岗位人员合同的履行；国企改制导致部门合并并不必然导致岗位削减等。

回到本案，首先，财险公司转移办公场所的人员只有任某一人，说明现有在岗其他员工均未发生办公场所变化，故并未造成多数或者全部工作人员转移办公场所之结果；其次，财险公司自述2018年、2019年连续亏损，故其无法履行原合同并非因为经营困难；最后，在劳动者权利与待遇并未提高的情形下，财险公司主张继续履行劳动合同成本过高，亦非客观因素带来之后果。在此情况下，财险公司引用《中华人民共和国劳动合同法》第四十条第三项与任某解除劳动合同系违法解除。

综上所述，在审理涉及《中华人民共和国劳动合同法》第四十条第三项“客观情况发生重大变化”所引发的“解除合法性”争议时，应审慎查明“客观情况发生重大变化”与“原劳动合同无法继续履行”之因果关系，以落实保护劳动者合法权益之目的，防止用人单位以“客观情况发生重大变化”之名行“自主裁员”之实。

编写人：北京市延庆区人民法院　孙世乐　郭敏娜

22

"永不开除"的特殊约定不能豁免劳动者的违纪责任

——供应链公司诉瞿某劳动合同案

【案件基本信息】

1. 裁判书字号

江苏省无锡市中级人民法院（2021）苏02民终586号民事判决书

2. 案由：劳动合同纠纷

3. 当事人

原告（上诉人）：供应链公司

被告（被上诉人）：瞿某

【基本案情】

瞿某系供应链公司员工，该公司因瞿某腰椎骨裂问题与其签订《承诺书》。《承诺书》中载明"瞿某因长期开叉车，搬运装卸，致腰椎骨裂，其受伤期间公司不得以公司更名、违纪开除、拖延等方式处理此事，该协议长期有效"。2019年7月，公司发现瞿某平日考勤存在异常，遂要求其严格遵守公司相关的纪律制度。但此后，瞿某仍多次上班迟到、下班缺卡、伪造打卡记录，经公司多次提醒，仍拒不改正。2019年8月12日，公司以瞿某旷工和伪造考勤记录为由，对其作出了解除劳动合同的决定。瞿某对公司的解除决定不服，遂申请劳动仲裁，要求裁令公司向其支付违法解除的赔偿金。劳动仲裁委审理后，认为公司的解除行为违反了双方在《承诺书》中不因违纪而开除的约定，系违法解除，裁决公司向瞿某支付赔偿金。公司不服仲裁裁决，遂诉至法院，请求判令公司无须支付瞿某违法解除劳动合同的赔偿金。

【案件焦点】

1. 供应链公司的解除行为是否违反《承诺书》中的约定；2. 供应链公司是否应当向瞿某支付经济赔偿金。

【法院裁判要旨】

江苏省无锡市滨湖区人民法院经审理认为：《承诺书》系双方真实意思表示，是公司基于瞿某作为老员工因工作致腰椎骨裂在处理前的特殊保障，是其阶段性放弃对瞿某包括以违纪为由单方解除劳动合同利益的约定，并不违反法律、行政法规的强制性规定，亦不侵害第三人合法权益，故真实有效。瞿某因腰肌劳损提出要求时，公司以考勤异常等情况作出违纪解除，违反协议中的特殊约定。且供应链公司在发现瞿某考勤异常后，直接顶格适用最高处罚即解除劳动合同，缺乏对老员工的教育管理，直接以罚代管，亦有失妥当。

江苏省无锡市滨湖区人民法院依照《中华人民共和国劳动合同法》第三条、第三十九条、第四十七条、第八十七条，《江苏省劳动合同条例》第三十一条，《最高人民法院关于审理劳动争议案件适用法律若干问题的解释（四）》第五条之规定，作出如下判决：

一、供应链公司支付瞿某违法解除劳动合同赔偿金 121656.2 元；

二、驳回供应链公司的诉讼请求；

三、驳回瞿某的其他仲裁请求。

供应链公司不服一审判决，持原审意见提起上诉。江苏省无锡市中级人民法院经审理认为：本案争议焦点在于：第一，供应链公司的解除行为是否违反了《承诺书》中的约定；第二，供应链公司是否应当向瞿某支付经济赔偿金。

关于争议焦点一，供应链公司的解除行为没有违反与瞿某的书面约定。理由如下：（1）从《承诺书》签订的目的和载明的内容来看，《承诺书》系公司基于瞿某腰伤对其所作的特殊约定，是对老员工的特殊照顾和保护，保障瞿某能够顺利解决腰椎骨裂的补偿问题。但公司并未向瞿某承诺放弃对其进行用工管理。（2）从本案查明的事实情况来看，双方自《承诺书》签订之后，瞿某从未向公司主张处理过工伤事宜。且在公司发现其考勤异常之后，对其进行了督促管理，其虽主张因为腰伤问题所以存在考勤异常，但其从未就《承诺书》的约定与公司进行过协商。因此，公司并未违反双方的书面约定，消极对待瞿某。公司对瞿某违纪的处理系基于对工作秩序和日常管理的维护，其解除行为并未违反双方的书面约定。

关于争议焦点二，瞿某的行为已经严重违背了劳动者应尽的勤勉义务。（1）从行为本身来看，瞿某存在多次上班迟到、下班缺卡的情形，其行为本身已经严重违反了《员工手册》的规定。（2）从主观态度来看。瞿某在明知公司规章制度情形下，在公司与其多次沟通督促后，仍拒不改正，有违职业道德。（3）瞿某并不存在无法履行请假手续的情形，却一直以消极的态度应对公司的督促与管理。综上，瞿某已严重违反劳动纪律。本案中，从公司提交的证据以及双方的陈述来看，供应链公司已经尽到了管理职责，并非直接以罚代管。公司依据规章制度对瞿某作出解除决定，并按照法律规定将解除决定通知了工会，系合法解除，无须向瞿某支付赔偿金。

综上所述，供应链公司的上诉请求成立，予以支持；本案系一审法院认定事实错误，应予纠正。

江苏省无锡市中级人民法院依照《中华人民共和国劳动合同法》第三十九条第二项、《中华人民共和国民事诉讼法》第一百七十条第一款第二项的规定，判决如下：

一、撤销一审判决；

二、驳回瞿某的仲裁请求。

【法官后语】

1. 用人单位有权对其单方解除劳动合同的权利进行处分

《中华人民共和国劳动合同法》第三十九第二款规定，劳动者严重违反用人单位规章制度的，用人单位可以解除劳动合同。此系法律赋予用人单位单方解除劳动合同的权利。用人单位对其自身享有的单方解除劳动合同的权利有权进行处分。本案中，供应链公司在《承诺书》中对瞿某所作的“特殊约定”即在瞿某养伤期间公司不会对其违纪开除，系用人单位对其权利自由处分的表现，即自愿对该项权利作出一定让渡，系用人单位真实意思表示，该处分行为并未违反法律的规定，且未损害劳动者的合法权益，因此该承诺合法有效。

2. 劳动者不能以“特殊约定”任意对抗用人单位的正常管理

在判断用人单位是否违反与劳动者达成的协议时，应当结合协议签订目的作出合理评判，不能机械地从协议的文字内容来判定。本案中，供应链公司向瞿某承诺，在瞿某养伤期间公司不会对其违纪开除。该承诺的本意是对老员工的特殊照顾和保护，并非放弃对瞿某的用工管理权。瞿某如需看病、养伤、休假等，仍应遵守公司的规章制度，履行相应的请假手续。如瞿某以公司的上述承诺为借口，无故上班迟到、下班早退、伪造打卡记录等，严重违反公司的规章制度，不遵守劳动工作秩序，公司仍可以与其解除劳动关系。

劳动者对用人单位负有勤勉义务，勤勉义务是劳动者应当恪守的基本职业准则。作为劳动者，恪守勤勉义务、遵守劳动纪律是最基本的诚信行为和工作常识。劳动者在劳动过程中，应当认真遵守用人单位的各项规章制度，服从用人单位的指挥、管理，其基本义务不因与用人单位存在“特殊约定”而当然豁免。劳动者利用“永不开除”的特别约定，恣意违反劳动纪律的，明显违反了职业道德，这种行为不应得到法律的保护。

编写人：江苏省无锡市中级人民法院　陶志诚　王嘉熙

23

用人单位不得以劳动者的正当举报行为违反公司规章制度为由解除劳动合同

——光学科技公司诉陆某劳动合同案

【案件基本信息】

1. 裁判书字号

江苏省苏州市中级人民法院（2021）苏05民终9706号民事判决书

2. 案由：劳动合同纠纷

3. 当事人

原告（上诉人）：光学科技公司

被告（被上诉人）：陆某

【基本案情】

2011年2月21日，陆某入职光学科技公司。2016年2月21日，双方签订了无固定期限劳动合同。劳动合同及陆某签收的员工手册上均明确，下列行为视为严重违反劳动纪律、规章制度，公司可以立即解除劳动合同，无需提前通知，并不给予任何经济补偿金：未经公司许可从事与公司利益冲突的活动；在工作时间以外的、影响公司声誉的违法行为，这种行为影响到员工对其所负担工作的适宜性或其他员工对其的包容性；背叛公司的行为。

2020年10月27日，陆某在某论坛上发布帖子，举报光学科技公司在申请高新技术企业认定的过程中存在弄虚作假的行为。区科技局等部门经调查后回复：该公司2014年、2017年经申报、评审等流程被认定为国家高新技术企业，依法享受过加计扣除及高企所得税优惠政策。2020年，该公司高新技术企业认定到期，但未重新申报。根据目前的调查，尚无证据表明该企业存在弄虚作假申报高新技术企业的情况。

同日，陆某又在某论坛上发布帖子，举报其于2018年负责该公司两个室内洁净室的搭建，认为上述建筑物未经审批，可能是违章建筑。后当地便民服务员回复：上述建筑始建于2018年，是污水相关数据采集设备的临时安置房以及按照环保部门要求建设的规范化废物仓库。

2020年10月29日，光学科技公司经征求该公司工会意见，向陆某作出解除劳动合同通知书，以陆某于2020年10月27日在某论坛上公开发表关于该公司的不实言论的帖子，对该公司的声誉造成极坏的影响，属于背叛公司的行为为由，解除了与陆某的劳动合同，并明确2020年10月30日为陆某最后工作日。

2020年12月，陆某向苏州市吴江区劳动人事争议仲裁委员会提起仲裁，认为光学科技公司违法解除劳动合同，要求支付赔偿金264030元及加班工资等。仲裁裁决支持了陆某的请求，光学科技公司不服该裁决，在法定期间内向法院提起诉讼，请求法院确认该公司无须向陆某支付赔偿金264030元。

【案件焦点】

光学科技公司以陆某的举报行为违反公司规章制度为由解除劳动是否属于违法解除。

【法院裁判要旨】

江苏省苏州市吴江区人民法院经审理认为：现有证据不足以证实陆某的投诉系不实言论，故光学科技公司解除劳动合同依据不足，属于违法解除劳动合同，其应向陆某支付赔偿金。

江苏省苏州市吴江区人民法院依照《中华人民共和国劳动合同法》第四十八条的规定，判决如下：

光学科技公司于本判决生效之日起十日内支付陆某赔偿金264030元、加班工资1400.7元。

光学科技公司不服一审判决，提起上诉。江苏省苏州市中级人民法院经审理认为：因劳动者举报用人单位存在的违法行为具有维护社会共同利益的属性，故对于用人单位以此为由解除劳动合同的合法性，应当平衡劳动者遵守规章制度的义务和正当举报行为的保护需求，在综合考虑举报内容的真实性、举报方式的妥当性、造成损失等因素的基础上加以判断。一审法院认定光学科技公司解除劳动合同依据不足，属于违法解除劳动合同，进而应向陆某支付赔偿金，并无不当，主要理由为：首先，劳动者的举报行为仅为有权机关提供线索，故关于举报内容的真实性，应结合举报人举报时客观掌握的信息、是否存在虚构事实加以判断，不应以相关部门事后作出的专业认定作为唯一标准。陆某举报的违法行为失实系因其对高新技术企业认定过程中的相关概念、临时安置房及规范化废物仓库的特殊性存在错误认知，现有证据并不足以证实陆某存在捏造事实、虚假举报的行为。其次，某论坛系相关政府部门设立的网络理政平台，陆某通过论坛进行举报的方式并无不妥。最后，陆某举报的内容已由相关部门在论坛中公开回复并说明情况，并无证据表明举报失实造成公司严重损失。据此，光学科技公司的上诉请求不能成立。

江苏省苏州市中级人民法院依照《中华人民共和国民事诉讼法》第一百七十条第一款第一项规定，判决如下：

驳回上诉，维持原判。

【法官后语】

劳动者对用人单位负有忠诚义务，有遵守公司规章制度的义务。同时，劳动者对违法行为也有举报检举的权利。当劳动者对外举报、投诉用人单位在生产经营过程中存在的违法行为时，确实可能违反雇员忠诚义务、规章制度，并会给用人单位带来经济利益及声誉上的损失，进而引起权利与义务之间的冲突。从司法价值判断来看，诚实信用原则衍生的劳动者对用人单位的忠诚义务，在价值位阶上应位于公共利益之后，即用人单位会因曝光行为产生经营上的困难，但群众从该信息公开事件中获得的利益更为重要，这尤其表现在食品、医药、卫生、安全等重点民生领域。而劳动者作为“内部人”，参与用人单位具体经营管理活动，更容易发现用人单位的违法违规行为，且相较于执法监管外部监督因不直接参与企业内部经营而产生的周期长、成本大的缺点，“内部人”举报的发现成本明显较低。保护和鼓励正当举报行为具有重要的现实意义。基于此，在对用人单位因举报行为而解雇劳动者的司法审查中，应当平衡劳动者遵守规章制度的义务和正当举报行为的保护需求，综合考虑以下因素：

首先，举报内容的真实性。举报是向有关部门提供违法行为的线索，不应苛求举报者具有专业的判断能力。司法机关在审查举报内容的真实性时，应着重审查线索本身是否存在捏造的情况，而不是以相关部门事后作出的专业认定作为唯一依据。

其次，举报方式的妥当性。为了避免不实举报给用人单位造成难以弥补的影响，举报方式应当具有妥当性。正当举报行为通常应当向监管部门举报。如果劳动者采用向媒体、社交网络公开举报等方式，则应当从以下几个方面审查其妥当性：是否已经向监管部门举报，但未在合理的期限内获得回应；举报的内容是否具有紧迫性，对社会公共利益是否有现实的威胁。

最后，举报失实造成的损失。在举报的违法行为未被相关部门认定，而劳动者又不存在故意捏造事实的情况下，基于举报用人单位存在的违法行为所具有的维护社会公共利益属性，在认定劳动者可归责性时，应当考虑这种举报失实给用人单位所造成的损失。在未造成重大损失的情况下，对于举报行为的可归责性也应当相应降低。

本案为内部人举报引起的解雇案件的审理提供了参考。司法应当在鼓励正当举报行为的基础上，减少举报不实甚至是诬告的负面性，平衡公共利益与用人单位权益。

编写人：江苏省苏州市中级人民法院　杨俊生

江苏省苏州市吴江区人民法院　沈黎红　钟晓石

24

用人单位单方解除权行使应受除斥期间限制

——赵某诉某会议公司劳动争议案

【案件基本信息】

1. 裁判书字号

北京市第三中级人民法院（2021）京03民终12184号民事判决书

2. 案由：劳动争议纠纷

3. 当事人

原告（上诉人）：赵某

被告（上诉人）：某会议公司

【基本案情】

2011年3月21日，赵某入职某度假村，同日，双方签订劳动合同。2014年5月1日，双方再次签订6年期限劳动合同。2019年1月至4月，赵某每月工资增长800元。2019年5月起，因有员工反映此问题，其工资不再按此标准增长。后某度假村更名为某会议公司。2020年2月22日，某会议公司对赵某作出停职调查处理决定。2020年7月7日，某会议公司向赵某发送员工违规违纪解除劳动合同通知书，内容为："你于2011年3月到某会议公司综合办公室工作，担任人事劳资一职。2019年1月至4月，你利用职务之便，在未履行审批手续的情况下为自己涨工资，每月涨800元，合计3200元，严重违反了公司员工手册之规定，公司有权依据前述规定及劳动合同法第三十九条规定与你解除劳动合同。"2020年7月，赵某向密云仲裁委申请仲裁，密云仲裁委逾期未裁，赵某遂诉至法院，要求某会议公司支付违法解除劳动合同赔偿金。

【案件焦点】

用人单位单方解除权行使是否受除斥期间限制。

【法院裁判要旨】

北京市密云区人民法院经审理认为：本案争议焦点在于某会议公司以赵某未履行审批手续涨工资违反其公司规章制度为由与其解除劳动合同是否构成违法解除。本案中，某会议公司应就赵某存在严重违反用人单位规章制度的行为、解除依据的规章制度经过民主程序制定且向劳动者履行告知义务、履行通知工会义务、解除权行使时间合理等承担举证责任。

首先，需认定赵某是否存在严重违反该公司规章制度的行为。某会议公司在作出解除决定时未引用具体明确的规章制度条款，仅是引用兜底性条款。其虽在庭审中提出赵某违反了薪酬体系中关于工资晋升、晋级的要求，但赵某主张其不属于此类工资调整。结合曹某与赵某 2020 年 2 月 1 日的对话内容来看，曹某表示签工资表时没有跟相关领导进行沟通核实，表明其对赵某已经在工资表中涨 800 元工资是知晓的，但其对赵某未履行书面审批手续并未提出异议，也未要求赵某履行审批手续，且该工资表需经过部门经理、财务经理、主管人事副总经理、主管财务副总经理、总经理层层审批，上述人员均未对此提出异议。在此过程中，即使赵某自身存在过失，该过失对结果的产生也并非起决定作用。故赵某未履行审批手续即调整工资反映了某会议公司存在管理漏洞及审批流于形式问题，而该公司将上述问题完全归咎于劳动者并据此与其解除劳动合同有失公允。

其次，关于解除权行使时间问题，企业单方解除权作为企业享有的一项权利，应当在一定期限内行使。对于企业而言，如在合理期限内没有行使单方解除权，则应视为企业对劳动者的过错行为接受，企业主动放弃单方解除权。本案中，赵某工资调整事实发生在 2019 年 1 月至 4 月，某会议公司在收到员工举报后于 2019 年 5 月停发赵某调整部分工资但未作出其他处理，此后未就该情况进行进一步调查处理。2020 年 2 月，某会议公司决定由公司纪委对赵某涨工资事项介入调查并于 2020 年 7 月 7 日以此为由与赵某解除劳动合同。故某会议公司未在合理期限内行使单方解除权。综上，某会议公司解除行为欠妥，应支付赵某违法解除劳动合同赔偿金。

北京市密云区人民法院依据《中华人民共和国劳动合同法》第十条、第四十七条、第八十二条、第八十七条，《职工带薪年休假条例》第三条、第五条，《中华人民共和国民事诉讼法》第六十四条之规定，作出如下判决：

一、被告某会议公司于本判决生效之日起七日内给付原告赵某未签劳动合同二倍工资差额6466.67元；

二、被告某会议公司于本判决生效之日起七日内给付原告赵某违法解除劳动合同赔偿金88388.76元；

三、被告某会议公司于本判决生效之日起七日内给付原告赵某2018年1月至2020年7月未休带薪年休假工资6252.88元；

四、被告某会议公司于本判决生效之日起七日内给付原告赵某2018年至2019年北京市最低工资差额2155元；

五、驳回原告赵某的其他诉讼请求。

二审法院同意一审法院裁判意见。

【法官后语】

用人单位根据《中华人民共和国劳动合同法》第三十九条规定行使过错性解除权应受到行使期限限制。从本源的合同法角度分析，解除权属于形成权，应受除斥期间限制。从特别法即劳动法角度分析，用人单位解除劳动合同在程序及实体方面均需符合法律规定，同时应具有合理性，合理性不仅体现在解除权行使需要具备法律依据、制度依据上，还体现在行使时间上。

1. 用人单位过错性解除权行使合理期限的法理分析

（1）合同法理论基础：解除权系形成权，应受除斥期间限制

《中华人民共和国民法典》第五百六十四条规定："法律规定或者当事人约定解除权行使期限，期限届满当事人不行使的，该权利消灭。法律没有规定或者当事人没有约定解除权行使期限，自解除权人知道或者应当知道解除事由之日起一年内不行使，或者经对方催告后在合理期限内不行使的，该权利消灭。"

综上，合同解除权在性质上是一种形成权，其本质特征为不需要对方当事人的同意，只需解除权人单方意思表示即产生法律关系消灭的法律后果。从一定程度上说，解除权行使与否完全取决于解除权人的意志，由此会使相对人陷入不安状态，长期放任此种不安状态存在，不利于市场交易的稳定性，故应当限定解除权的行使期限，超过行使期限的，其解除权消灭。

（2）劳动法理论基础：劳动关系需要稳定性和持续性

从劳动关系的特殊性而言，用人单位的单方解除权作为企业享有的一项权利，同样应当在一定期限内行使，不能长时间处于不确定的状态，不能使劳动关系处于一种不稳定的状态。劳动关系不确定及不稳定，对于劳动者而言，不利于维护劳动者的权益。超过一定合理期限而用人单位仍未做出解除决定的，劳动者则有理由认定用人单位将不会再行解雇。此后如果用人单位再解雇，对劳动者的能力发挥以及工作、生活安排均十分不利。

2. 认定合理期限应予考量的因素

（1）参考具体规定

作为特别法的劳动法，虽然没有从法律层面对用人单位单方解除权行使期限进行限制，但司法实践中部分地区以地方性法规或者部门会议纪要等形式对此进行了明确规定，如《辽宁省职工劳动权益保障条例》[①] 和《重庆市职工劳动权益保障条例》[②] 中均有类似规定：用人单位应当从知道或应当知道职工违反规章制度行为之日起 1 年内作出处理决定。逾期未处理的，不得再追究其责任。而大部分地区未对处理时间作出明确规定，涉及的处理时限问题由裁审机关作出合理判断。在没有上述具体规定的情况下，从 2021 年 1 月 1 日起，用人单位知道或者应当知晓其具备解除权的情况下，仍选择继续维系劳动关系，并且已经过 1 年，可以参照《中华人民共和国民法典》的规定认定解除权消灭。

---

① 载国家法律法规数据库网站，https：//flk. npc. gov. cn/detail2. html？ZmY4MDgwODE2ZmJjNTdjMTAxNzEwNjc0ZjM5Nzc4YWU%3D，最后访问时间：2023 年 3 月 28 日。

② 载国家法律法规数据库网站，https：//flk. npc. gov. cn/detail2. html？ZmY4MDgxODE4NDJjMjYxYzAxODQyZDRlOTUzMjA1ZTU%3D，最后访问时间：2023 年 3 月 28 日。

（2）根据合同履行情况综合考量

劳动关系与其他合同关系本质区别在于人身属性和关系持续性。部分案件中，劳动者出现过错行为，用人单位当时选择了谅解或者容忍，后来双方产生矛盾或关系恶化后，用人单位为了达到解除劳动合同目的会想方设法找理由，如对之前的过错行为重新进行追究。故在认定合理期限时，可将合同履行情况和履行意愿作为一种考量因素。如果解除事由已发生，但双方当事人均以实际行动表明继续履行合同，而后一方在此情况下行使合同解除权，与双方当事人积极履行合同的行为相悖，与双方订立合同的预期不符，故该情况下用人单位行使解除权应认定为超过合理期限。

编写人：北京市密云区人民法院　曲明辉

25

用人单位即时单方解除权的适用考量

——苏某诉科技公司劳动争议案

【案件基本信息】

1. 裁判书字号

北京市第一中级人民法院（2021）京01民终8826号民事判决书

2. 案由：劳动争议纠纷

3. 当事人

原告（上诉人）：苏某

被告（被上诉人）：科技公司

【基本案情】

2016年11月7日，苏某入职科技公司，任职前端工程师，劳动合同期限至2022年11月6日，关于工作地点的约定载明：甲乙双方协商一致约定，乙方（苏某）的工作地点为北京；但乙方同意根据其岗位和甲方（科技公司）经营业务需要，接受甲方安排的国外或国内其他省市的短期或长期出差工作，乙方听从甲方关于出差地点、时间、期限、任务等与工作相关的一切安排事宜。

2020年5月11日至2020年5月24日，苏某因流产而休假。2020年5月25日，苏某返岗上班。2020年5月28日，苏某的上级领导李某向其发送微信安排其下周赴黄河出差，苏某拒绝。2020年6月1日，李某向苏某发送电子邮件，告知苏某公司已安排其他人补充到西宁项目现场，并通知苏某于2020年6月9日赴江西出差。2020年6月4日，苏某向李某等人发送电子邮件，称其因身体抱恙，还需要后续检查，目前不适合出差。后公司将原安排苏某到江西项目出差的工作，暂时调整为到北京某项目现场支持前端工作，苏某自2020年6月9日起前往该项目现场，工作两周。

2020年6月17日，科技公司向苏某出具《告知函》，告知其因身体原因拒绝公司出差安排，公司有权知晓其身体情况，其有义务告知公司检查结果。苏某于2020年6月18日、2020年6月23日在回复公司的邮件中附上相关病历。

2020年6月24日，李某向苏某发送邮件，称公司安排苏某于2020年7月2日赴广西南宁开展为期两个月的出差。苏某当日即回复称其因身体原因仍在积极治疗，是否具备出差条件还要看医院是否有后期的复诊及复查，目前仍不具备异地出差的条件，为公司项目考虑，希望公司尽快选出具备出差条件的其他员工去项目就职。

2020年6月29日，科技公司向苏某作出《解除劳动合同通知书》，载明“……因您在任职期间严重违反公司规章制度，公司决定于2020年6月30日起，依法解除与您的劳动关系”。双方均确认劳动关系于2020年6月30日解除。后苏某以要求科技公司支付违法解除劳动合同赔偿金为由，向北京市海淀区劳动人事争议仲裁委员会提出申请，该委驳回了苏某的仲裁请求。苏某不服该裁决，于法定期限内提起诉讼。

【案件焦点】

科技公司解除劳动合同的行为是否构成违法解除，即科技公司在本案中是否可行使用人单位即时单方解除权。

【法院裁判要旨】

北京市海淀区人民法院经审理认为：科技公司与苏某签订的劳动合同中明确约定了苏某同意接受科技公司安排的出差工作。综合考虑工作性质和苏某的身体状况，科技公司安排苏某异地出差并无不当，属于正当履行用人单位管理权的范畴，苏某在被告知相应后果的情况下，仍拒绝服从工作安排，违反了基本劳动纪律。在此情形下，科技公司据此将苏某辞退，符合法律规定及双方劳动合同的约定，苏某主张违法解除劳动合同赔偿金的请求缺乏依据，不予支持。

北京市海淀区人民法院依据《中华人民共和国劳动法》第三条第二款之规定，判决：

驳回苏某的全部诉讼请求。

苏某不服一审判决，提起上诉。北京市第一中级人民法院经审理认为：即使用人单位的规章制度中未作出明确规定，如果劳动者存在的违反劳动纪律或职业道德的行为达到一定的严重程度，也可以视为对用人单位规章制度的严重违反，用人单位可以类推适用《中华人民共和国劳动合同法》第三十九条第二项的规定解除劳动合同。但在本案中短短不到 1 个月期间里，公司频繁安排苏某去外地进行时间较长的出差，安排本身难说严格符合劳动合同的约定。考虑到苏某术后身体的实际恢复和治疗状况，苏某在整个事件里并无主观上的重大恶意，行为亦未造成严重影响，难以达到严重违反劳动纪律或职业道德、足以解除劳动合同的程度。而科技公司的出差安排欠缺一定的妥当性，其提交的证据尚不足以充分证明其在苏某流产后短期内频繁安排较为长期的异地出差具有必要性。综上，科技公司解除劳动合同的行为依据不足，有违法律规定，该解除行为属违法解除，其应当依法向苏某支付违法解除劳动合同赔偿金 120000 元。

北京市第一中级人民法院依照《中华人民共和国劳动合同法》第四十七

条、第八十七条,《中华人民共和国民事诉讼法》第一百七十条第一款第二项规定,判决:

一、撤销一审判决;

二、科技公司于本判决生效之日起10日内向苏某支付违法解除劳动合同赔偿金120000元。

【法官后语】

《中华人民共和国劳动合同法》针对用人单位单方即时解除劳动合同采取了解除事由法定的立法模式。这种严格的解除事由法定体现在法律明确列举了用人单位单方解除劳动合同的事由,不允许当事人通过劳动合同约定解除事由,《中华人民共和国劳动合同法》第三十九条、第四十条和第四十一条也未规定兜底条款或者允许其他法律规定其他解除事由的开放条款。解除事由法定的立法模式,一方面立足于劳动关系的现实,在劳动关系中劳动者和用人单位之间力量失衡,劳动合同基本由用人单位单方拟定,允许约定解除事由,则劳动合同可能随时被解除,劳动者随时处于失去工作岗位的压力之下;另一方面也追求更合理的利益分配目标,限制用人单位单方解除权,避免用人单位动辄通过解除劳动合同将经营风险转嫁给劳动者,打破劳动关系中劳动者被管理、不享有自主权、不承担经营风险,而用人单位管理企业、享有用工自主权、承担经营风险的利益分配逻辑。

以劳动者存在过失时用人单位行使单方解除权为例,《中华人民共和国劳动合同法》第三十九条作出明确规定,将过失的情形限定在六种情形内。其第二项"严重违反用人单位的规章制度的"中的规章制度主要指的是用人单位经过法定民主程序制定的劳动规章制度。实践中,基于公平原则和诚实信用原则,该规章制度常被适度扩大解释为劳动者应当遵守的基本的劳动纪律或职业道德。用人单位常引用的严重违纪,不应当仅仅指严重违反规章制度,还应当包含劳动纪律,除此之外的行业规则、职业道德、价值理念等软规则也应当赋予其法律正当性。

也就是说,如果劳动者违反劳动纪律或职业道德的行为达到一定的严重程度，仍可以视为对用人单位规章制度的严重违反，可类推适用《中华人民共和国劳动合同法》第三十九条第二项的规定解除劳动合同。只不过这种类推适用，应当基于公平原则和诚实信用原则，充分考虑以下因素：一是劳动者的主观过错程度；二是对用人单位的日常管理、声誉等造成影响的严重程度；三是用人单位实施此种管理行为的必要性和妥当性；四是用人单位实施此种管理行为是否存在激化矛盾等不当情形。在此基础上进行综合考量，对劳动者是否构成严重违反劳动纪律或职业道德做审慎的审查。

司法裁判应起到树立正确导向、规制社会生活的重要作用，因此法院在审理案件时应当突出规范的制度目的，同时要尊重人民群众的普遍认知和感受，不做违反人民群众常识、常情、常理的裁判。在审理劳动争议案件中，尤其在认定解除劳动合同的合法性问题上，需要在保护劳动者权益和尊重用人单位管理权之间寻找平衡点，助力构建和谐劳动关系，推动社会体系良性健康发展。

编写人：北京市第一中级人民法院　蒋慧

26

用人单位以劳动者违反规章制度为由解除劳动合同的，应在解除时明确具体事由

——从某诉能源服务公司、能源服务公司北京分公司劳动争议案

【案件基本信息】

1. 裁判书字号

北京市第三中级人民法院（2021）京03民终13540号民事判决书

2. 案由：劳动争议纠纷

3. 当事人

原告（上诉人）：丛某

被告（上诉人）：能源服务公司、能源服务公司北京分公司

【基本案情】

2014年1月1日，丛某与能源服务公司签订《劳动合同》，约定：本合同为无固定期限劳动合同，自2014年1月1日起，丛某应遵守国家法律和法规，遵守能源服务公司各项规章制度和工作程序。丛某有下列情形之一，能源服务公司可以随时解除合同：1. 在试用期间，被证明不符合录用条件的；2. 严重违反劳动纪律或能源服务公司规章制度的；3. 严重失职、营私舞弊，对能源服务公司经济利益或名誉造成重大损害的；4. 被依法追究刑事责任的；5. 在为能源服务公司工作期间，同时与其他用人单位建立劳动关系，对完成能源服务公司工作任务造成严重影响，或经能源服务公司提出，拒不改正的；6. 员工手册中规定的其他情形。丛某同意其与能源服务公司（含能源服务公司所有下属分公司及分支机构）所签署的《员工手册》《培训协议》《保密协议》《商业行为准则》及其他规章制度签收函（包括丛某通过劳务派遣公司被派遣至能源服务公司工作期间）持续有效，不因工作地点、工作岗位或薪酬以及用人单位的变化而改变。

2016年12月16日，能源服务公司向丛某发出《劳动合同解除通知书》，载明："很遗憾地通知您，您与能源服务公司的劳动合同将于2016年12月16日解除。公司与您解除劳动合同的原因为——违反公司的商业行为准则。根据劳动合同法第三十九条第二款的规定，特此通知您与公司的劳动合同正式解除。您的最后工作日为2016年12月16日；工资将结算至2016年12月16日。请按照要求于当日完成离职手续。"丛某在下方员工签收处签字，日期为2016年12月19日，载明："我，丛某，收到此劳动合同解除通知书。经员工再三要求，公司无法提供具体违规事实，证据及具体原因，因此我无法同意以上情况。"

2017年年底，丛某以能源服务公司北京分公司为被申请人向北京市朝阳区劳动人事争议仲裁委员会申请仲裁，要求确认公司解除与丛某的劳动合同违法

并予以撤销，立即恢复劳动关系并恢复丛某的工作、补发 2016 年 12 月 17 日至实际恢复工作前一日的工资等。2018 年 4 月 12 日，北京市朝阳区劳动人事争议仲裁委员会裁决驳回丛某的仲裁申请。丛某遂提起本案诉讼，主张能源服务公司以抽象、笼统的“违反商业行为准则”为由解除劳动合同，并拒绝向丛某说明具体事实和理由，其解除劳动合同缺乏事实依据，并请求确认能源服务公司解除与丛某的劳动关系违法、立即恢复劳动关系、补发工资等。一审庭审中，能源服务公司主张其向丛某发送的《劳动合同解除通知书》所载解除原因“违反公司的商业行为准则”包含三个方面的违规行为：“骚扰，制造恐慌、不公平的工作环境，滥用职权给公司造成财产损失”“未按照要求披露潜在利益冲突，并在年度《合规声明和利益冲突的披露》中进行虚假陈述”“伪造、变造票据进行虚假报销的不诚实和欺诈行为”。

【案件焦点】

能源服务公司解除与丛某的劳动关系是否违法。

【法院裁判要旨】

北京市朝阳区人民法院经审理认为：能源服务公司主张其向丛某发送的《劳动合同解除通知书》所载解除原因“违反公司的商业行为准则”包含三方面违规行为，但在丛某签收《劳动合同解除通知书》时已明确要求公司方面作出说明的情况下，能源服务公司未举证证明其已于解除劳动合同时向丛某明确告知该三方面原因，因此，对于能源服务公司已明确告知解除原因的主张不予采信。需要说明的是，上述处理并非否定用人单位通过内部规定对《中华人民共和国劳动合同法》第三十九条第二项的“严重违反用人单位的规章制度”进行细化。相反，法院积极倡导和建议用人单位结合自身经营实际对何种行为属于严重违反规章制度进行具体明确。但需要注意的是，用人单位无偿解雇劳动者的事由由法律明确限定，这种制度设计旨在防止用人单位利用优势地位肆意解雇职工、侵害劳动者的合法权益。在此背景下，用人单位亦应客观、合理、科学、审慎地对违规行为进行严重程度区分，并作出明确书面规定，明确告知劳动者制度规定和违规行为调查结论，避免因将严重违纪行为泛化而无法获得司法支持，最终影响企业管理。

北京市朝阳区人民法院依照《中华人民共和国劳动合同法》第三十条、第三十九条，《中华人民共和国民事诉讼法》第六十四条第一款之规定，判决：

一、撤销能源服务公司于2016年12月16日对丛某作出的《劳动合同解除通知书》，双方继续履行劳动合同；

二、能源服务公司于判决生效之日起7日内按照每月71746元的标准，自2016年12月17日起补发丛某的工资至2021年6月8日；

三、能源服务公司北京分公司对上述第二项与能源服务公司承担连带责任；

四、驳回丛某的其他诉讼请求。

丛某、能源服务公司、能源服务公司北京分公司均不服一审判决，提起上诉。北京市第三中级人民法院经审理认为：其一，关于本案解除程序，能源服务公司在诉讼中主张的三项解除事实并未在解除劳动关系时告知丛某，且在丛某明确要求能源服务公司告知违规事实，证据及具体原因时，能源服务公司亦未向丛某进行解释说明。其二，关于本案解除事实，能源服务公司未提交充分证据证明丛某的行为构成严重违反公司规章管理制度。

北京市第三中级人民法院依照《中华人民共和国民事诉讼法》第一百七十条第一款第一项规定，判决：

驳回上诉，维持原判。

【法官后语】

为保障劳动者的工作权，《中华人民共和国劳动合同法》对用人单位的劳动合同解除权，从实体条件、程序条件、解雇成本三个维度予以控制，以预防和减少解雇权的不当行使或滥用。本案是关于用人单位单方解除情形下，法院对解除事由认定审查的案例。用人单位以劳动者违反用人单位规章制度提出解除劳动合同需具有明确理由，法院应对用人单位提出解除时依据的事实和理由进行审查，用人单位不能随意于事后增加解除事由以说明当时解除劳动关系的合法性。

1. 用人单位以劳动者违反规章制度为由解除劳动合同的，应在解除时明确具体事由

我国劳动法、劳动合同法及司法解释中的相关条款均规定了用人单位可按照法律规定制定规章制度，对用人单位的劳动关系管理、员工工作行为等各个方面进行规范，并作为用人单位建立、变更、解除劳动合同关系的依据。实践中，存在用人单位笼统以“劳动者违反公司规章制度”为由解除劳动合同，而在庭审中又主张劳动者存在若干具体事由，或用人单位在解除劳动合同时明确告知劳动者某个解除事由，庭审中又主张劳动者还存在其他事由的情形。对于上述情形下法院是否应审查用人单位事后主张的事实和理由，司法实践中存在分歧：第一种观点认为，现行法律并无明文规定要求用人单位在单方解除劳动合同时应明确告知劳动者解除的具体事由，如果劳动者还存在其他严重违反用人单位规章制度的行为，符合用人单位单方解除劳动合同的事由，用人单位享有针对后一事由的解除权。因劳动者本身具有过错，从追求实质公平正义和避免讼累的角度考虑，应允许用人单位补充该解除事由，故应支持用人单位的该解除行为。第二种观点认为，确认用人单位解除劳动合同是否合法，应当审查用人单位解除劳动合同时所依据的事实和理由是否成立，而不是针对其事后主张的事实和理由进行审查。如果用人单位没有在解除劳动合同时明确告知劳动者解除合同的事实和理由，仅在庭审中提出，则用人单位可能会滥用其解除权，甚至有可能在随意解除劳动合同后再罗列相关的事实和理由，这将不利于维护劳动者的合法权益，故不应支持用人单位的该解除行为。

笔者认为，用人单位以劳动者严重违反规章制度为由提出解除劳动合同的，应在解除劳动合同时明确劳动者具体的违规行为和制度依据，法院应以用人单位提出解除时依据的事实和理由为审查范围，而不应扩大至用人单位在诉讼中增加或变更的事实和理由。原因主要有三：其一，从劳动合同解除制度的立法理念来看，劳动合同解除是对用人单位和劳动者双方劳动关系最为严重的否定性评价，应确保劳动者全面参与到不利于自身利益结果的形成过程之中。在此过程中，劳动者应享有充分的陈述、申辩权，用人单位在做出解雇决定之前也

需要进行充分的调查核实，并接受工会组织的监督，这既是对劳动者生存权与就业权的保障，也是实现程序正义的必然要求，司法审判应予以确认和保护。其二，从现有劳动合同法体系解释的角度看，《中华人民共和国劳动合同法》第四十三条规定，用人单位单方解除劳动合同，应当事先将理由通知工会。用人单位违反法律、行政法规规定或者劳动合同约定的，工会有权要求用人单位纠正。用人单位应当研究工会的意见，并将处理结果书面通知工会。根据上述条款的规定，如用人单位在诉讼中事后增加或变更劳动合同解除事由，则意味着其在劳动合同解除时未将该事由事先通知工会并征求工会意见，故用人单位的解除行为存在瑕疵。其三，从劳动合同解除之诉的性质来看，劳动合同解除只能提起确认之诉，而非形成之诉。劳动合同的解除时间是用人单位解除劳动合同的意思表示到达劳动者、达到法律规定的时间。故法院审查用人单位解除行为的合法性应依据其提出解除劳动合同时所主张的事实和理由，而非用人单位在诉讼中事后增加或变更的事实和理由。本案中，能源服务公司在解除劳动合同时仅说明劳动者违反用人单位行为准则，而未载明与劳动者解除劳动合同的具体事实和理由，且在劳动者要求用人单位说明后依然拒绝对解除劳动合同的事由进行说明。能源服务公司在诉讼中主张劳动者存在三方面违反用人单位行为准则的事由，但未提供充分证据证明其在解除劳动合同时系依据上述三项事由，故法院认定能源服务公司的解除行为违法。

2. 用人单位具体解除事由的认定标准

首先，认定用人单位提出解除时依据的事由与理由通常应依据用人单位发送的解除劳动通知书等载明的解除原因，用人单位以劳动者“违反用人单位规章制度”为由提出解除的，应明确劳动者的具体违规行为。其次，在审查中要注重运用实质标准与整体思维综合评判解除事由的认定是否公平。用人单位在解除劳动合同时未载明具体解除事由，或在诉讼中增加或变更解除事由的，应当进一步提交证据证明该事由系解除时依据的事由，否则用人单位应承担不利后果。

编写人：北京市第三中级人民法院　侯军　王梦琦

四、追索劳动报酬、经济补偿金

27

非劳动者本人原因从原用人单位被安排到新用人单位的经济补偿责任主体

——嵇某诉电缆公司劳动合同案

【案件基本信息】

1. 裁判书字号

上海市奉贤区人民法院（2020）沪0120民初15053号民事判决书

2. 案由：劳动合同纠纷

3. 当事人

原告：嵇某

被告：电缆公司

【基本案情】

嵇某自2016年7月与电缆公司建立劳动关系，约定月工资25000元等。2019年5月，电缆公司以工作需要为名，单方面将嵇某的劳动关系变更到电缆公司的子公司特种电线公司，双方并未就嵇某工龄是否连续计算进行约定。嵇某认为，特种电线公司系电缆公司的子公司，具有独立的法人主体资格，电缆公司单方面将嵇某的劳动关系变更到子公司，实际上变更了嵇某、电缆公司双方的劳动关系的主体，应支付经济补偿金。经过劳动仲裁程序后，嵇某诉至法院，要求电缆公司支付经济补偿金 84000 元。

【案件焦点】

嵇某能否向电缆公司主张经济补偿金。

【法院裁判要旨】

上海市奉贤区人民法院经审理认为：经济补偿金是劳动合同解除或者终止后，由用人单位依法一次性支付给劳动者的经济上的补助。根据法律规定，劳动者非因本人原因从原用人单位被安排到新用人单位工作的，劳动者在原用人单位的工作年限合并计算为新用人单位的工作年限。劳动者非因本人原因从原用人单位被安排到新用人单位工作，原用人单位未支付经济补偿，劳动者依照劳动合同法第三十八条规定与新用人单位解除劳动合同，或者新用人单位向劳动者提出解除、终止劳动合同，在计算支付经济补偿或赔偿金的工作年限时，劳动者请求把原用人单位的工作年限合并计算为新用人单位的工作年限的，人民法院应予支持。本案中，嵇某非因本人原因从电缆公司处被安排至特种电线公司工作，其在电缆公司处的工作年限合并计算为特种电线公司的工作年限。嵇某与特种电线公司协议解除劳动关系，若存在特种电线公司需支付经济补偿的情形，嵇某在电缆公司处工作年限亦合并计算在特种电线公司的工作年限内，特种电线公司负有此法定义务，并不存在可能导致嵇某经济补偿金受损或是由此损害嵇某合法权益的情形。然嵇某在与特种电线公司协议解除劳动关系时，协议书中并未载明特种电线公司支付包括嵇某在电缆公司处工作期间的补偿金，现嵇某以在特种电线公司未能获得在电缆公司处工作期间的补偿而要求电缆公司支付经济补偿金，显然是违背了立法保护劳动者权益的初衷，加重了原用人单位的负担，故嵇某的诉请，缺乏法律依据，对此难以支持。

上海市奉贤区人民法院《中华人民共和国民事诉讼法》第六十四条第一款的规定，判决如下：

驳回原告嵇某的诉讼请求。

判决后，双方当事人均未上诉，本判决现已生效。

【法官后语】

非劳动者本人原因从原用人单位被安排至新用人单位，若原用人单位未支付经济补偿，劳动者与新用人单位解除或终止劳动合同时向原用人单位主张工作年限的经济补偿金，该如何处理？目前立法层面对此并无明确规定。从现有法律规定来看，此情形下劳动者工作年限合并计算至新用人单位，由新用人单位支付原用人单位工作年限的经济补偿。回到问题本身，笔者认为，不论是从法律制度保障层面，还是从司法实务操作层面，劳动者与新用人单位解除或终止劳动合同时要求原用人单位承担工作年限的经济补偿，该主张均不应得到支持。

1. 法律制度保障层面

（1）经济补偿金的性质和法定标准

法律并未明确经济补偿金的性质，各方存在不同的观点，主流观点认为经济补偿是用人单位的一种法定帮助责任，目的是让劳动者在再就业前的基本生活有所保障，帮助的幅度是用人单位所能承受的。经济补偿金的法定标准为：根据劳动者在本单位工作年限而确定补偿的月份，基准为劳动者在劳动合同解除或者终止前十二个月的平均工资，若劳动者月工资高于用人单位所在直辖市、设区的市级人民政府公布的本地区上年度职工月平均工资三倍的，向其支付经济补偿的标准按职工月平均工资三倍的数额支付，向其支付经济补偿的年限最高不超过十二年。设置经济补偿金制度目的在于帮助，责任是法定，履行的是义务，充分体现了劳动法保护劳动者合法权益的立法理念。

（2）由新用人单位承担原用人单位工作年限的经济补偿的规定

《中华人民共和国劳动合同法实施条例》第十条、《最高人民法院关于审理劳动争议案件适用法律问题的解释（一）》第四十六条第一款均有新用人单位承担原用人单位工作年限经济补偿的规定。劳动者非因本人原因被安排到新的用人单位工作，无论是劳动者依法解除劳动合同，还是新用人单位提出与劳动者解除、终止劳动合同，如果原用人单位未支付经济补偿，只要新用人单位依法应当支付劳动者经济补偿，在计算支付经济补偿的工作年限时，都应当把劳动者在原用人单位的工作年限合并计算为新用人单位工作年限，以此确定经济补偿的具体数额，从而避免用人单位恶意采用调动或者不同用工主体交替订立劳动合同等手段达到“清洗”劳动者工作年限的目的。

（3）由新用人单位承担原用人单位工作年限的经济补偿的理论依据

《最高人民法院关于审理劳动争议案件适用法律问题的解释（一）》第四十六条第二款规定，用人单位符合下列情形之一的，应当认定属于“劳动者非因本人原因从原用人单位被安排到新用人单位工作”：（一）劳动者仍在原工作场所、工作岗位工作，劳动合同主体由原用人单位变更为新用人单位；（二）用人单位以组织委派或任命形式对劳动者进行工作调动；（三）因用人单位合并、分立等原因导致劳动者工作调动；（四）用人单位及其关联企业与劳动者轮流订立劳动合同；（五）其他合理情形。《中华人民共和国劳动合同法》第三十三条规定：“用人单位变更名称、法定代表人、主要负责人或者投资人等事项，不影响劳动合同的履行。”第三十四条规定：“用人单位发生合并或者分立等情况，原劳动合同继续有效，劳动合同由承继其权利和义务的用人单位继续履行。”

劳动关系承继，也称劳动合同承继，是指作为用人单位一方主体的企业在发生变化的情况下，由新用人单位接替原用人单位作为劳动关系的主体继续享有原劳动关系的权利，履行原劳动关系的义务。劳动关系承继本质上就是劳动合同的主体变更，并且这种主体变更只限于用人单位。现实中，用人单位根据市场经营需要和自身经营状况进行企业改革和产业结构调整是很常见的企业行为，特别是某些集团公司因经营需要，在不同的子公司之间进行业务划分，将劳动者从一个用人单位指派、转移到另一个用人单位。用人主体的变动必定会影响劳动合同的履行，进而影响劳动者的合法权益。为了保护劳动者合法权益，避免因用人单位主体变动而产生不利影响，当劳动者非因本人原因被安排至新用人单位工作，在劳动关系主体一方即用人单位主体发生变更的情形下，应以不影响劳动者权益为原则，当出现“因用人单位合并、分立等原因导致劳动者工作调动”情形时，可依照劳动关系承继制度，认定原用人单位的工作年限由新用人单位承继，而当出现上述规定中应当认定属于“劳动者非因本人原因从原用人单位被安排到新用人单位工作”中其余五种情形时，可以参照劳动关系承继制度，从而为原用人单位的工作年限计算至新用人单位找到理论依据。

本案中，电缆公司单方面将嵇某的劳动关系变更到子公司特种电线公司，嵇某在电缆厂的安排下与特种电线公司签订劳动合同书，合同载明嵇某的工作地点、工作岗位、工资报酬均与其在电缆公司工作时一致。因此，嵇某被安排到特种电线公司工作符合《最高人民法院关于审理劳动争议案件适用法律问题的解释（一）》第四十六条第二款第一项，即劳动者仍在原工作场所、工作岗位工作，劳动合同主体由原用人单位变更为新用人单位的情形，故嵇某在电缆公司合作年限合并计算为原用人单位工作年限。

（4）新用人单位不承担劳动者在原用人单位工作年限的情形

对劳动者来说，新用人单位的经营规模、工作地点、工作环境、福利待遇等方面与原用人单位一般都会存在差异，劳动者可以对自身利益予以衡量和判断，并选择是否接受被安排到新用人单位工作。如果劳动者不能接受的，可与原用人单位协商其他解决方案或者解除劳动关系，此时劳动关系自然也不承继到新用人单位。此外，如果由于劳动者本人原因至新用人单位工作的，劳动关系也不必然由新用人单位承继，要根据具体情况分析而定。

2. 司法实务操作层面

（1）原用人单位工作年限的经济补偿不再由原用人单位承担并不导致劳动者合法权益受损

实践中，非劳动者本人原因被安排至新用人单位工作，更换劳动合同主体时默认或书面约定劳动者在原单位的工作年限由新用人单位合并计算，既是对劳动者权利的保护，也是对用人单位责任义务的厘清。工作年限被认定延续到新用人单位后，原用人单位支付经济补偿义务随即消灭，劳动者相关的权利应向新用人单位进行主张，即向新用人单位主张合并后的工作年限即可，而无需再找原用人单位。但如果更换劳动主体时并未明确约定，甚至新用人单位否认原用人单位工作年限合并计算至其处，则劳动者依据法律规定，在原用人单位未支付经济补偿的情形下，向新用人单位主张。当然，在劳动者被安排去新用人单位工作时，不排除原用人单位支付经济补偿的情形，后续新用人单位计算经济补偿金的工作年限时将不计在内。在本案中，就嵇某工龄是否连续计算未进行约定，但特种电线公司在电缆公司未支付经济补偿的情形下，负有法定义务合并计算嵇某的工作年限，只是嵇某与特种电线公司协议解除劳动关系时，协议书中并未写明特种电线公司支付包括嵇某在原用人单位工作期间的补偿金，而后嵇某要求原用人单位支付经济补偿金，属于加重原用人单位的负担，难以得到支持。

（2）从仲裁时效角度看，由新用人单位承担经济补偿责任更为合理

《中华人民共和国劳动争议调解仲裁法》第二十七条规定，劳动争议申请仲裁的时效期间为一年。仲裁时效期间从当事人知道或者应当知道其权利被侵害之日起计算。虽然在劳动争议案件中，仲裁机构或人民法院不应当主动适用仲裁时效审查当事人的诉求，但一般情况下，大多数用人单位会提出诉讼时效的抗辩，而劳动者与新用人单位解除或终止劳动合同时再向原用人单位主张经济补偿，往往容易超过一年的时效，导致胜诉权的丧失。劳动者在明确经济补偿的承担主体是新用人单位后，可及时行使权利，避免因超过仲裁时效而产生不利的后果，也可避免诉累。

编写人：上海市奉贤区人民法院　张晓燕　吴俊颖

28

高管经董事会决议被公司单方调岗降薪的效力认定

——隋某诉科技公司劳动争议案

【案件基本信息】

1. 裁判书字号

北京市第二中级人民法院（2021）京02民终9905号民事判决书

2. 案由：劳动争议纠纷

3. 当事人

原告（被上诉人）：隋某

被告（上诉人）：科技公司

【基本案情】

2014年9月29日，隋某入职科技公司，担任副总经理（核心管理团队成员），并通过持有某有限合伙企业的合伙份额的方式间接持有科技公司的股权。双方先后签订了起止期限分别为2014年9月29日至2017年9月28日、2017年9月29日至2022年9月28日的劳动合同。该劳动合同中约定，工资额根据本人的职位、工作能力及工作表现而定，科技公司可根据经营情况、工作表现及职位变动调整工资，未约定月工资标准具体数额。隋某的实际月工资标准为35000元，无需打卡考勤。

2019年12月31日，科技公司通知隋某免去其副总经理职务。2020年1月1日，科技公司在OA系统公布了董事会对管理班子的调整决定，新任命一名总经理和四名副总经理，宣布原管理班子任命失效。2020年4月30日，科技公司通知隋某，从2020年4月1日起将隋某的月工资标准由35000元调整为5500

元，并要求隋某从2020年5月1日起打卡考勤。2020年5月10日，科技公司向隋某实际支付了2020年4月1日至2020年4月30日期间的工资2200元，后又支付了2020年5月1日至2020年5月14日期间的工资2200元。2020年5月15日，隋某向科技公司送达被迫解除劳动关系通知书，以“无故克扣2020年4月份的工资，没有按照劳动合同的约定支付工资”为由，与科技公司解除劳动合同。

隋某主张，其在职期间一直认真履行本职工作，为公司发展尽心尽力，但科技公司恶意拖欠、克扣其劳动报酬，故科技公司应当支付其工资差额及解除劳动合同经济补偿金。科技公司主张，根据公司法、公司章程、公司薪酬管理办法的规定以及劳动合同的约定，且隋某在业绩承诺期没有实现业绩承诺，其公司有权调整隋某的岗位和工资标准。由于隋某已不再担任高管职务，故2020年4月的工资应属足额发放，不存在拖欠和克扣的情形，无需支付工资差额及解除劳动合同经济补偿金。

隋某曾提起劳动争议仲裁，要求科技公司支付其工资差额及解除劳动合同经济补偿金，仲裁委支持了隋某的上述仲裁请求。科技公司对仲裁裁决不服，诉至法院。

【案件焦点】

1. 双方是否存在劳动关系；2. 董事会决议中包含对高管解聘、降薪的内容，如何认定其效力；3. 是否应对董事会决议中关于高管解聘、降薪内容进行合法性及合理性审查。

【法院裁判要旨】

北京市大兴区人民法院经审理认为：本案属于劳动争议纠纷，用人单位与劳动者协商一致，方可变更劳动合同约定的内容。即便董事会有权决定或调整副总经理的工资标准并符合公司法和公司章程的规定，也属于公司内部作出的单方决定，如欲对劳动者发生对外效力，仍须以双方协商一致为前提。科技公司单方调整隋某的月工资标准的做法，不符合其公司薪酬管理办法的有关规定，双方亦未就业绩承诺的达成情况与隋某的月工资标准具有关联性进行约定。故科技公司单方调整隋某月工资标准不具有合法性和合理性，不应对隋某发生法律效力，隋某的月工资标准仍应为 35000 元。

北京市大兴区人民法院依照《中华人民共和国劳动合同法》第三十条第一款、第三十五条、第四十六条第一项，《职工带薪年休假条例》第五条第三款之规定，判决如下：

一、科技公司与隋某在 2014 年 9 月 29 日至 2020 年 5 月 14 日期间存在劳动关系；

二、科技公司于本判决生效之日起十日内向隋某支付 2020 年 4 月 1 日至 2020 年 4 月 30 日期间的工资差额 28881.6 元；

三、科技公司于本判决生效之日起十日内向隋某支付 2020 年 5 月 1 日至 2020 年 5 月 14 日期间的工资差额 8364.35 元；

四、科技公司于本判决生效之日起十日内向隋某支付 2018 年 1 月 1 日至 2018 年 12 月 31 日期间的未休年休假工资 32183.91 元；

五、科技公司于本判决生效之日起十日内向隋某支付解除劳动合同经济补偿金 210000 元；

六、驳回科技公司的其他诉讼请求。

一审判决后，科技公司不服，上诉请求改判不支付隋某工资差额及解除劳动合同经济补偿金。北京市第二中级人民法院经审理认为：双方签订的劳动合同中虽未明确隋某的月工资标准，但已以实际履行的方式确定隋某的月工资标准为 35000 元。科技公司于 2020 年 4 月通知隋某月薪调整为 5500 元，并未与隋某协商取得一致意见。固然董事会可以依据公司法的规定行使聘用或解聘总经理、副总经理等高级管理人员的权利，但同时，科技公司与隋某之间的权利义务应受劳动法律法规的约束。确定隋某的新任职位以及调整隋某薪酬标准属于双方劳动合同履行过程中的重大变更，依法仍应由双方协商确定，科技公司单方确定的，应具备合法性及合理性。科技公司单方降级降薪未取得隋某的接受和认可，亦未充分举证证明合理性。故科技公司按照其公司单方的变更决定发放隋某 2020 年 4 月工资，构成未足额支付隋某劳动报酬。

北京市第二中级人民法院依照《中华人民共和国民事诉讼法》第一百七十条第一款第一项规定，判决如下：

驳回上诉，维持原判。

【法官后语】

本案是由用人单位单方对高管调岗降薪所引发的争议，主要争议的法律问题为：董事会决议中包含对高管调岗降薪的内容，如何认定其效力；人民法院是否应对董事会决议进行合法性、合理性审查。

公司法的立法目的之一在于实现股东利益最大化，劳动法的立法目的之一在于倾斜保护劳动者的利益。根据公司法第四十九条等规定，董事会决定聘任或者解聘公司经理及其报酬事项，并根据经理的提名决定聘任或者解聘公司副经理、财务负责人及其报酬事项。对于董事会关于上述高管解聘、降薪事项的决议，股份有限公司要求董事会会议应有过半数的董事出席，并经全体董事的过半数通过；有限责任公司则由公司章程规定。而《最高人民法院关于审理劳动争议案件适用法律问题的解释（一）》第四十四条规定，因用人单位作出的开除、除名、辞退、解除劳动合同、减少劳动报酬、计算劳动者工作年限等决定而发生的劳动争议，用人单位负举证责任。即公司法与劳动法在高管调岗降薪等问题上的竞合表现为：公司法在符合出席召开董事会会议的条件下仅要求董事会过半数通过即可，系对解聘、降薪程序进行形式审查；劳动法则要求对调岗降薪事由进行实质审查。

在涉高管劳动争议案件中，针对董事会决议中包含的对高管调岗降薪等与高管权益密切相关的内容如何认定其效力，应否对董事会决议进行合法性、合理性审查，应注意从以下几方面分析：一是对双方是否存在劳动关系进行判断。我国劳动法律规范并未将高管排除在劳动关系主体范畴之外，故应注重审查双方有无建立劳动关系的合意，以实际履行的权利义务内容认定双方是否属于劳动关系。对于劳动关系的认定应以是否具备劳动关系的从属性特征为切入点，结合实际履行情形审慎把握从属性程度，进而对高管与用人单位是否具备劳动关系进行认定，并注意区分委任关系和劳动关系的不同。本案从劳动管理、劳动报酬发放、用人单位业务内容等方面，能够认定双方存在劳动关系，科技公司亦未就此提出异议，故属于劳动争议受案范围，应适用劳动法律规范予以调整。

二是对董事会决议中关于高管调岗降薪内容的效力如何认定。虽然按照公司法规定，科技公司的董事会有权决定或调整作为高级管理人员的副总经理的工资标准，但该董事会决定属于公司内部作出的单方决定，仅具备内部合规性。在科技公司董事会与隋某的聘任关系之外，科技公司与隋某还存在劳动关系，双方之间的权利义务还应受劳动法律规范的调整。对隋某的调岗降薪属于对劳动合同的重大变更，应由双方协商一致，才能对劳动者隋某产生对外效力。科技公司仅依据董事会决议单方决定对隋某调岗降薪，应提交充分证据证明原因。

三是对董事会决议中关于高管调岗降薪内容进行合法性及合理性审查。公司法与劳动法在高管调岗降薪等问题上存在竞合。虽然高管在能力、待遇等方面均有别于普通劳动者，但是现行劳动法律规范并未将其排除在适用范围之外，用人单位调岗降薪的，应当经协商一致或具备充分理由，不能仅凭董事会决议就作出单方决定。对于董事会决议，即使严格按照公司法及公司章程法定程序作出，也可能存在损害高管合法权益的情况。因此，在劳动争议案件中，人民法院应当依据劳动法规定对与高管合法权益密切相关的内容进行实质审查。根据本案查明情况，隋某并非业绩协议的合同相对方，科技公司亦未举证证明业绩承诺达成与否影响隋某的月工资标准。科技公司单方调岗降薪亦不符合其公司薪酬管理办法中关于调岗的规定。故科技公司降薪行为不符合法律规定，构成未足额支付劳动报酬。

另外，应注意适度加重高管的举证责任。相较于普通劳动者，高管通常具备更高的文化水平和更强的维权意识，举证能力、谈判能力更为突出，应诉能力较强，形成与用人单位的平衡对抗。劳动法对普通劳动者注重倾斜保护，而在审理涉高管劳动争议案件时则应注重回归契约本身，探求双方真实合意，结合具体案情分析调岗降薪过程，在适度加重高管举证责任的同时，对于用人单位的调岗理由、协商一致降薪等证明责任相对从宽把握。

编写人：北京市第二中级人民法院　金铭

29

解除劳动合同经济补偿金的支付可否附条件

——A 网络贸易公司诉王某劳动争议案

【案件基本信息】

1. 裁判书字号

北京市第二中级人民法院（2021）京 02 民终 12085 号民事判决书

2. 案由：劳动争议纠纷

3. 当事人

原告（被上诉人）：A 网络贸易公司

被告（上诉人）：王某

【基本案情】

王某于 2013 年 8 月入职 A 网络贸易公司，担任招商岗位，其工资标准为 21000 元/月。2017 年 9 月，A 网络贸易公司（甲方）与王某（乙方）签订《保密及竞业禁止协议》，其中，约定“乙方应承担竞业限制义务，承担竞业限制义务的竞业限制期限为甲乙双方劳动关系存续期间及甲乙双方解除或终止劳动关系后 12 个月”“甲方的竞争方包括但不限于……B 网络购物公司”。

2019 年 9 月，王某与 A 网络贸易公司协商一致解除劳动合同，签订《解除劳动合同协议书》（以下简称离职协议），其中载明：在乙方履行本协议各项义务的基础上，甲方同意，2019 年 10 月 31 日前一次性给付乙方经济补偿金 70500 元；乙方妥善办理工作交接、离职手续，移送并归还办公用品、各类资料、财务借款等。解除日后，乙方同意继续依据双方已签订的《保密协议》（如有）及《竞业限制协议》（如履行）之约定，就“保密信息”的范围继续履行保密义务。后该公司未支付 70500 元给王某。

为证明公司于 2019 年 10 月发现王某违反离职协议及竞业限制，A 网络贸易公司提交录像光盘。光盘播放内容显示，王某已在 B 网络购物公司的园区内工作。王某对光盘的真实性认可，认可视频显示的是其本人。

2020 年 7 月，A 网络贸易公司申请劳动仲裁，要求王某支付 A 网络贸易公司违反竞业限制违约金、返还竞业限制补偿金、支付违反竞业限制义务所获得收益。该案劳动仲裁委员会作出裁决：王某支付 A 网络贸易公司违反竞业限制违约金 281168.1 元。王某不服上述裁决，已诉至法院另案处理。

2020 年 9 月，王某申请劳动仲裁，要求 A 网络贸易公司支付王某解除劳动合同经济补偿金 70500 元。该案劳动仲裁委员会作出裁决：A 网络贸易公司支付王某解除劳动合同经济补偿金 70500 元。王某同意仲裁裁决，A 网络贸易公司不同意上述裁决，遂提起本案诉讼。

【案件焦点】

王某履行保密及竞业限制义务是否系 A 网络贸易公司向王某支付解除劳动关系经济补偿金的前提条件。

【法院裁判要旨】

北京市大兴区人民法院经审理认为：保密期未约定明确的履行期限、竞业限制期约定为劳动关系存续期间及解除劳动关系后 12 个月，双方约定的经济补偿金支付时间为解除劳动关系之次月，即经济补偿金的支付时间在先，且远早于竞业限制期及保密期的终止日。也就是说，若以保密及竞业限制义务的履行作为经济补偿金的支付条件，则该条件并非明确稳定、合理有效。综合《保密及竞业禁止协议》、离职协议约定的履行期限、劳动关系解除的起因系 A 网络贸易公司为王某调岗未果、离职后违反竞业限制行为本身的性质及离职协议所使用的词句等因素，且另案中，A 网络贸易公司已就其主张王某违反竞业限制义务要求其赔偿损失，基于同一行为，作为提供离职协议格式条款的一方，A 网络贸易公司要求不予支付王某解除劳动关系经济补偿金的诉讼请求，于法无据，不予支持。

北京市大兴区人民法院依照《最高人民法院关于审理劳动争议案件适用法律若干问题的解释（三）》第十条、《最高人民法院关于适用〈中华人民共和国民事诉讼法〉的解释》第九十条之规定，判决如下：

一、A网络贸易公司于本判决生效之日起十日内支付王某解除劳动合同经济补偿金70500元；

二、驳回A网络贸易公司的诉讼请求。

A网络贸易公司不服，提起上诉。北京市第二中级人民法院经审理认为：其一，离职协议系双方当事人就解除劳动关系事宜达成的一致意见，其目的和结果是解除双方之间的劳动关系；况且，解除劳动关系经济补偿金具有补偿性和救济性特征，在案涉劳动关系已解除且离职协议的目的已经达成的情况下，经济补偿金的给付具有必要性和确定性。其二，根据双方离职协议的约定，双方劳动关系解除时间及补偿金支付时间，明确而具体，并不能就此成为约束除达到解除劳动关系之目的以外其他事项的时间标准。其三，离职协议约定，解除日后王某继续履行保密及竞业限制义务；而其中有关保密期以及竞业限制期终止日的约定，均晚于经济补偿金的支付时间。故A网络贸易公司主张以王某未履行保密义务及竞业限制义务制约经济补偿金的支付，缺乏逻辑。其四，从离职协议订立目的来看，该协议约定支付经济补偿金的前提应理解为，王某应履行“办理工作交接、离职手续，移送并归还办公用品、各类材料、财务借款等”为达成双方解除劳动关系以及支付经济补偿金之目的的义务。综上，本案的审理不以王某是否违反保密及竞业限制义务的相关认定为前提。

北京市第二中级人民法院依照《中华人民共和国民事诉讼法》第一百七十条第一款第一项规定，判决如下：

驳回上诉，维持原判。

【法官后语】

1. 解除或终止劳动合同经济补偿金及法定支付条件

解除或终止劳动合同经济补偿金是用人单位在非因劳动者主观过错的情况

下解除劳动合同时，为保障劳动者在离职后一段时间内的生活，依法需一次性支付给劳动者补偿。《中华人民共和国劳动合同法》第四十六条、第四十七条规定了经济补偿支付的情形及计算标准，第五十条第二款规定了经济补偿的法定支付条件，即“劳动者应当按照双方约定，办理工作交接。用人单位依照本法有关规定应当向劳动者支付经济补偿的，在办结工作交接时支付”。

2. 离职协议在一定程度上可对经济补偿的支付附条件

离职协议属于劳动合同后合同权利义务协议，兼具社会法和私法属性，应依照劳动法律和民事法律效力规则建立折中、适度的效力规则，其目的和结果是解除双方之间的劳动关系。离职协议中约定的经济补偿属于用人单位弥补劳动者劳动边际递减效益损失，是国家规定的用人单位应当承担的社会责任，以缓解失业者焦虑情绪和生活实际困难，一定程度上属于强制性规定。那么，除上述第五十条的法定条件约束外，劳动双方可否在离职协议中就经济补偿的支付附条件？

例如，在（2020）京民申 898 号①案件中，离职协议约定补偿金支付条件为劳动者在职期间负责的两个项目工作进度达成一定条件：（1）甲项目由法院终审结案；（2）乙项目第一笔款项收回。最终，结合在案证据，法院认定经济补偿金尚未达到协议约定的支付条件，故关于劳动者要求支付解除劳动合同经济补偿金的请求，缺乏事实依据，未予支持。从上述案例可知，经济补偿的支付可以附条件，但该条件限于对劳动者解除劳动合同之前已发生的工作（在职期间负责的项目）或行为成就与否的约定，同时不违反强制性规定，且不存在欺诈、胁迫或者乘人之危的情形。这样既突出劳动者劳动法基准权益保护，又依法认可双方就解除劳动合同权利义务的意思安排。

① 载中国裁判文书网，https：//wenshu. court. gov. cn/website/wenshu/181107ANFZ0BXSK4/index. html？ docId = 7mxCG1kfqFLeBQEcofNjqJUvYlwSGLK4x/uHsCJWH432xW + dYPBPHpO3qNaLMqsJEjxqvsRAZ9JE3z3XhifmxiN05NRB6QgWvb77MR4zDn6/iscSBRfMIboDLLr+lc3R，最后访问时间：2023 年 3 月 28 日。

3. 不得将离职后相关义务的履行作为补偿金支付的条件

A网络贸易公司以王某未履行竞业限制义务违反《解除劳动合同协议书》为由，要求不予支付王某解除劳动合同经济补偿金，法院未予支持。该案背后的法律问题值得思考：用人单位可否在离职协议中将补偿金的支付条件延伸至劳动关系消灭后？例如，用人单位在协议中表示，若劳动者在离职后两年内违反竞业限制义务，用人单位无需支付其解除劳动合同经济补偿金或劳动者需返还已支付的解除劳动合同经济补偿金；若离职后有其他损害用人单位利益的行为，劳动者需返还已支付的经济补偿金等，这些约定是否有效？

笔者认为，支付解除劳动合同经济补偿金是用人单位依法履行对劳动者给予必要的社会保障义务，而上述约定之内容免除了用人单位的法定责任、排除了劳动者权利，亦显失公平，相关约定应认定为无效。另外，竞业限制协议已规制劳动者在劳动关系消灭后有关商业秘密和竞业限制的义务，法律亦对劳动者违反上述义务应承担的赔偿责任作出了规定。基于同一违反竞业限制义务的行为，作为提供离职协议格式条款的一方，用人单位如果既要求劳动者支付违反竞业限制的违约金、返还竞业限制补偿金，又要求无需支付劳动者解除劳动关系经济补偿金，则双方权利义务将明显不对等。若将离职后相关义务的履行作为补偿金支付的条件，则严重损害劳动者的合法权益，亦与解除劳动合同经济补偿金的立法目的相违背，不应得到支持。

编写人：北京市大兴区人民法院　唐玥

30

劳动者在工伤停工留薪期内返岗工作，无需用人单位同意，应兼得停工留薪期工资及正常工作期间的工资

——汪某诉工程公司劳动争议案

【案件基本信息】

1. 裁判书字号

福建省南平市中级人民法院（2021）闽 07 民终 891 号民事判决书

2. 案由：劳动争议纠纷

3. 当事人

原告（被上诉人）：汪某

被告（上诉人）：工程公司

【基本案情】

2020 年 8 月 4 日 10：30 左右，汪某在工程公司承建的项目工地协助塔吊机吊混凝土材料时，右手中指被卡入吊钩钢丝绳与滑轮之间。事故发生后，汪某被送至医院治疗，经诊断为右手中指末节掌侧皮肤缺损，后住院 19 天。2020 年 10 月 23 日，浦城县人力资源和社会保障局作出《认定工伤决定书》，认定汪某为工伤。2020 年 12 月 29 日，福建省南平市劳动能力鉴定委员会作出《劳动能力鉴定结论书》，认定汪某为伤残十级。2021 年 1 月 15 日，汪某向浦城县劳动人事争议仲裁委员会申请劳动仲裁，同日，浦城县劳动人事争议仲裁委员会作出《不予受理通知书》，决定不予受理。2021 年 1 月 18 日，汪某提起诉讼，要求被告赔偿原告医疗费、护理费等工伤待遇 149641.45 元，其中同时包括停工留薪期工资及正常工作期间的工资。

工程公司已向汪某支付10800元赔偿款。汪某于2020年8月22日出院后，于2020年8月26日返回工程公司承建的项目工地上班。工程公司为案涉项目工程投保了工伤保险，汪某在一审判决后已领取由福建省浦城县社会保险中心发放的工伤医疗费、住院伙食补助费、一次性伤残补助金、一次性医疗补助金，合计80700.44元。

【案件焦点】

汪某在其工伤停工留薪期内返岗工作，在获得正常工作期间报酬的情形下，是否可以继续享有停工留薪期工资。

【法院裁判要旨】

福建省浦城县人民法院经审理认为：被告工程公司在与原告建立劳动关系后，未在一个月内与原告签订书面劳动合同，也未替原告缴纳社会保险，依照《中华人民共和国劳动合同法》第三十八条之规定，原告有权主张解除原、被告双方的劳动合同，故对原告主张解除劳动关系的诉请，予以支持。因被告未替原告缴纳工伤保险，依照《工伤保险条例》第六十二条第二款之规定，原告因本次工伤事故的各项赔偿费用，依法应由被告承担，被告合计应支付原告各项工伤赔偿费用为145359.43元。

福建省浦城县人民法院依照《中华人民共和国社会保险法》第三十八条、第三十九条，《中华人民共和国劳动合同法》第三十八条，《工伤保险条例》第三十三条、第三十七条、第七十二条，《中华人民共和国民事诉讼法》第一百四十四条规定，判决如下：

一、解除原告汪某与被告工程公司的劳动关系；

二、被告工程公司应支付原告汪某医疗费、停工留薪期工资等各项工伤赔偿费用145359.43元；

三、驳回原告汪某的其他诉讼请求。

工程公司不服，提起上诉。福建省南平市中级人民法院经审理认为：汪某的出院诊断为右手中指末节掌侧皮肤缺损，依据《福建省工伤职工停工留薪期分类目录》所载，四肢损伤中的皮肤缺损的停工留薪期为1个月至2个月，结合汪某的伤情及劳动能力鉴定结论，酌定汪某的停工留薪期为2个月。《工伤保险待遇核定表》中载明汪某的月工资为7031.17元，故汪某的停工留薪期工资为14062.34元，工程公司应当予以支付。一审判决认定汪某的停工留薪期为受伤之日至定残之日期间，已经超出汪某的伤情所需，且与《福建省工伤职工停工留薪期分类目录》所载不符，予以纠正。一审判决认定的汪某月工资数额亦依据不足。关于汪某在停工留薪期未满时即返岗工作，工程公司已经支付其正常工作期间的工资，是否仍需支付停工留薪期工资的问题。停工留薪期工资与工伤医疗待遇一样，属于工伤职工所应享受的法定待遇，停工留薪期即为享受该待遇的法定期间。在此期间，汪某作为劳动者本可以不参加工作而获得原有的工资福利待遇，但汪某仍提前恢复工作，则应当在已经获得正常工作报酬的情形下额外获得一部分工资收入，且工程公司明确知道汪某在未满停工留薪期时就已经恢复工作，故工程公司应当同时支付停工留薪期工资及正常工作期间的工资。另外，工程公司在汪某恢复工作期间支付的工资属汪某正常工作所应取得的报酬，工程公司并无证据证明该款为额外支付的停工留薪期工资，故工程公司上诉主张无需支付汪某停工留薪期工资缺乏依据，不予支持。

福建省南平市中级人民法院依照《中华人民共和国民事诉讼法》第一百六十九条、第一百七十条第一款第二项规定，判决如下：

一、维持一审判决第一项；

二、撤销一审判决第二项、第三项；

三、工程公司应于本判决生效之日起十日内向汪某支付工伤保险待遇款合计26086.53元；

四、驳回汪某的其他诉讼请求。

【法官后语】

审判实践中，工伤劳动者的停工留薪期多数是按照地方性立法或者行政法规规定的以受伤部位及疾病作为治疗时长的期限予以统一认定，即以工伤医疗期作为认定停工留薪期的基准。因个人体质的特殊性和差异性，工伤劳动者在伤后治愈时长存在差别，可能存在停工留薪期届满前已经全部或者部分恢复劳动能力的情形，加之家庭经济状况等因素的影响，劳动者往往会选择提前返岗工作，此时劳动者所应获取的正常工作期间的工资与停工留薪期工资交叉重叠，继而产生二者是否存在竞合及具体适用问题，目前法律规定对此未予明确。笔者认为，以二者的性质分析，停工留薪期工资属工伤保险待遇，源于社会保险的属性，具有公权力保护的性质；工资是劳动者因劳动所应获得的等价报酬，源于劳动权，属民法私权领域，故二者显然不存在交叉和竞合，理应同时适用。

1. 停工留薪期工资的保险待遇属性

《工伤保险条例》第三十三条第一款规定："职工因工作遭受事故伤害或者患职业病需要暂停工作接受工伤医疗的，在停工留薪期内，原工资福利待遇不变，由所在单位按月支付。"该条款隶属"工伤保险待遇"篇目项下，故而可以确认停工留薪期工资虽名为"工资"，但实际属于劳动者应获的工伤保险福利待遇，是用人单位应当提供的保障。工伤劳动者由此享有工伤保险待遇请求权，而非私法领域的损害赔偿请求权。

2. 停工留薪期工资与工资兼得的必然性

（1）以二者的获取前提为考量

劳动者必须经由劳动才能获取工资。停工留薪期工资以劳动者在劳动过程中遭受工伤损害为条件支付，系基于劳动者在工伤医疗期内应享受的保险待遇属性，无需以劳动为前提获取。

因此，在停工留薪期内，工伤劳动者属于享受工伤保险福利待遇的状态，在不参加劳动的情形下即享有停工留薪期工资。若因劳动者在此期间恢复进行劳动而剥夺其停工留薪期工资待遇，显然与停工留薪期工资作为福利待遇所设立的初衷相背离，故二者适用前提不同，不存在冲突的可能。

（2）以返岗工作的实际目的为考量

劳动者本可以在停工留薪期内不参加工作即享受相关福利待遇，但是现实中，在建筑工地、加工厂房等以体力劳动为主的工作场所遭受工伤的劳动者较多，而家庭经济收入来源的重担往往又压在这类劳动者身上，即使在仅恢复部分劳动能力且可得劳动报酬有所降低的情形下，处于工伤停工留薪期内的劳动者也很有可能会选择以力所能及的劳动恢复收入，其目的在于改善自身经济状况或者减轻家庭负担。由此可以认为，劳动者一般不可能为恢复工作而放弃其应当享受的工伤保险待遇。所以，以恢复工作期间所获报酬替代停工留薪期工资显然不符合劳动者返岗工作的目的，更不应以此否定劳动者获取停工留薪期工资的权利或者免除用人单位应承担的部分工伤保险责任。

（3）以兼得产生的社会效果为考量

以劳动获取劳动报酬是法律规定也是社会群众的普遍认知，任何人无权剥夺劳动者在正常工作期间获取劳动报酬的权利。无论劳动者是否在停工留薪期内工作，其都应当获得劳动报酬。如因劳动者在停工留薪期内工作而不予发放劳动报酬，显然对提高生产积极性、促进生产力发展产生不利影响。同理，如劳动者因积极恢复工作而无法获得恢复工作期间的停工留薪期工资，则劳动者的法定工伤保险待遇无法得到保障，且不能排除用人单位为减轻自己的责任而要求劳动者在停工留薪期届满前恢复工作的可能。

3. 无需以工伤时用人单位同意为要件

本案中，汪某在停工留薪期届满前即返回工程公司的建设工地继续工作，工程公司虽然对此未予作出明确的同意，但也未予以拒绝，而汪某又实际提供了劳动，其应当获取正常工作期间的工资，且工程公司也实际向汪某发放了正常工作期间的工资。该工资与汪某本应享有的停工留薪期工资分属两种法律关系，不发生冲突与竞合，故而在此案中并未排除工程公司支付停工留薪期工资的义务。

编写人：福建省南平市中级人民法院　曹滢颖

31

劳动争议案件中股权激励收益的审查要点

——家居公司诉杨某劳动争议案

【案件基本信息】

1. 裁判书字号

广东省广州市中级人民法院（2021）粤 01 民终 13145、13146 号民事判决书

2. 案由：劳动争议纠纷

3. 当事人

原告（上诉人）：家居公司

被告（上诉人）：杨某

【基本案情】

2009 年 9 月 7 日，杨某入职家居公司。2017 年 6 月 14 日，家居公司与杨某签订《限制性股票授予协议书》，约定：杨某具有获授《激励计划》规定的限制性股票的资格；本次家居公司授予杨某的限制性股票数量为 4675 股；杨某所获授的限制性股票的解锁安排及考核应严格遵循《激励计划》及《考核管理办法》的相关规定；家居公司按《激励计划》规定对杨某进行绩效考核，若杨某未达到《激励计划》所确定的解除限售条件，家居公司将按《激励计划》规定的原则，回购并注销其相应尚未解除限售的限制性股票；等等。

2017 年 6 月 28 日，杨某取得上述限制性股票，2019 年 7 月 29 日，因杨某考核达标、股票解禁，杨某获得相应收入 116900 元。

2020 年 5 月 15 日，杨某以没有提供劳动条件、没有主动支付劳动报酬为

由以书面形式向家居公司提出解除劳动关系，并自次日起没有再去上班。家居公司确认双方的劳动关系于2020年5月18日解除，但对杨某提出的单方解除理由不予认可。

2020年5月21日，杨某向广州市白云区劳动人事争议仲裁委员会申请仲裁，请求家居公司支付违法解除劳动合同赔偿金，后该委裁决家居公司一次性支付杨某解除劳动关系经济补偿金138543.46元。家居公司不服，遂成讼。

【案件焦点】

1. 家居公司是否应向杨某支付解除劳动关系经济补偿金；2. 家居公司应向杨某支付经济补偿金的计算基数。

【法院裁判要旨】

广东省广州市白云区人民法院经审理认为：根据《上市公司股权激励管理办法》[①] 第二条及《国家税务总局关于股权激励有关个人所得税问题的通知》[②] 第一条等相关规定，杨某关于股权激励属于用人单位向劳动者发放的劳动报酬范围的主张，予以支持。但因股权激励是长期性激励，其作为劳动报酬体现在劳动者从作为上市公司的用人单位处取得的股票增值权所得和限制性股票所得，其外在表现形式并非货币，不属于劳动者的货币性收入，不应纳入经济补偿金的计算基数。经核算，家居公司应向杨某支付解除劳动关系经济补偿金数额为138543.46元。

广东省广州市白云区人民法院依照《中华人民共和国劳动合同法》第三十八条第一款、第四十六条第一项、第四十七条，《企业职工带薪年休假实施办法》第十条、第十一条、第十二条，《上市公司股权激励管理办法》第二条，参照《国家税务总局关于股权激励有关个人所得税问题的通知》第一条的规

---

① 载中国证券监督管理委员会网站，http：//www.csrc.gov.cn/csrc/c106256/c1654022/content.shtml，最后访问时间：2023年3月28日。

② 载国家税务总局网站，http：//www.chinatax.gov.cn/chinatax/n363/c74724/content.html，最后访问时间：2023年3月28日。

定，作出如下判决：

一、于本判决生效之日起三日内，家居公司一次性支付杨某 2020 年 4 月工资差额 3163.63 元、2020 年 5 月 1 日至 2020 年 5 月 15 日工资差额 2091.7 元；

二、于本判决生效之日起三日内，家居公司一次性支付杨某解除劳动关系经济补偿金 138543.46 元；

三、于本判决生效之日起三日内，家居公司一次性支付杨某 2020 年 1 月 1 日至 2020 年 5 月 18 日期间未休年休假工资差额 3474.44 元；

四、驳回杨某的其他诉讼请求；

五、驳回家居公司的其他诉讼请求。

双方均不服，提起上诉。广东省广州市中级人民法院经审理认为：判断股权激励是否属于劳动报酬，关键在于劳动者获得的股权激励是否具有劳动报酬的本质属性，即人身从属性和劳动对价性。如果此类收益建立在劳动者和用人单位存在劳动关系的基础上，与劳动者履行劳动合同的效果（如绩效）等因素有关，劳动者据此获得的股权激励收益应属劳动报酬。本案中，案涉限制性股票激励基于杨某与家居公司之间的劳动关系产生，家居公司根据杨某的职务、工作性质及业绩考核等综合因素予以发放，是对杨某劳动力价值的体现。杨某获得案涉限制性股票是基于自身向家居公司提供劳动而获得经济利益，而非出于投资增值目的而出资购买，故应属劳动报酬。

关于案涉股权激励收益是否应计入经济补偿金的问题，用人单位在授予劳动者限制性股票时并非以法定货币形式支付，但由于劳动者在获得限制性股票时支付的对价低于股票市场价格，在股票解禁时，必然会为劳动者带来差价的收益，这部分收益是可以以货币形式体现的，故应计入经济补偿金的计算基数。但股权激励属用人单位的一项长期性激励措施，其对应的期间为劳动者获得激励股权之日至其权益实现之日。故在将股权激励计入劳动者离职前十二个月平均工资时，应根据案件实际情况，对劳动者取得的股权激励对应的时间段进行区分，对于劳动者离职前十二个月范围外的激励获益予以剔除。本案中，杨某获得的限制性股票虽不具有货币的外在表现形式，但在其符合条件出售时获得的收入可以表现为货币形式，且事实上杨某也因此获得116900元。一审法院认为案涉限制性股票收益不应纳入经济补偿金的计算基数，失之偏颇，依法予以纠正。杨某2020年5月离职，2017年6月28日取得案涉限制性股票，2019年7月29日股票解禁获得相应收入116900元，家居公司应向杨某支付解除劳动关系经济补偿金数额应为151402.46元。

广东省广州市中级人民法院依照《中华人民共和国劳动合同法》第四十七条第三款，《中华人民共和国民事诉讼法》第一百七十条第一款第一项、第二项的规定，作出如下判决：

一、维持一审判决第一项；

二、撤销一审判决第四项、第五项；

三、变更一审判决第二项为：于本判决生效之日起三日内，家居公司一次性支付杨某解除劳动关系经济补偿金151402.46元；

四、变更一审判决第三项为：于本判决生效之日起三日内，家居公司一次性支付杨某2020年1月1日至2020年5月18日期间未休年休假工资差额3796.93元；

五、驳回杨某的其他诉讼请求；

六、驳回家居公司的其他诉讼请求。

【法官后语】

因股权激励收益同时具有金融产品及股东身份象征的双重属性，导致理论及实务界对其是否属于劳动报酬存在争论。基于用工管理的复杂性和收益机制的动态发展，可以预见，股权激励纠纷短期内难以在立法层面形成共识，通过案例形成有关审理机制和裁判规则应是当下的合理选择。本案正是在这个背景下迈出的一小步，以期为劳动报酬形式日益复杂的社会发展需求提供适当有效的司法供给。

1. 股权激励收益的审查要点

对股权激励纠纷审查的关键在于，股权激励收益是否具有劳动报酬的本质属性，即人身从属性和劳动对价性。具体可以从以下几个方面予以考量：

（1）股权激励的基础

即员工获得股权激励的原因。若员工获得股权激励是基于双方之间的劳动关系及员工对用人单位的贡献、业绩等，此时该激励股权体现了用人单位基于劳动者身份及工作表现进行奖励的特征，是对劳动关系的维持、巩固和加深。劳动者获得该股权激励收益的前提是双方之间具有劳动合同关系，劳动者向用人单位支付了劳动对价，而非劳动者对该激励股权的实质出资。

（2）股权激励的对象

主要指股权激励的人员范围。根据股权激励的定义可知，股权激励的对象主要限于用人单位的高管，后来逐渐扩展到用人单位的核心骨干人员。上述人员具有同一身份，即用人单位的员工，与用人单位具有劳动关系。若股权激励的对象并非本单位员工，或是将其他单位的股权作为激励客体授予本单位职工，则此时因双方之间不具有劳动关系，故员工由此获得的收益不应属劳动报酬。

（3）股权激励的形式

即以何种方式激励劳动者。若劳动者是以出全资的方式获得用人单位未经登记的股权，此时相当于劳动者是以普通股民的身份购买公司的普通股权，由此获得的收益不应属于劳动报酬；若劳动者仅是部分出资即获得了用人单位未经登记的股权，且劳动者对于公司的运营并没有实际的决策权，仅是通过符合一定条件后出售股票获取差价或者享受利润分红，则此时劳动者由未出资部分获得的收益应属劳动报酬。

（4）股权激励收益的实现条件

即员工将用人单位奖励的股权或者股票转换为实际收益/分红需要满足的条件。若员工在获得激励股权后可以直接按期获得分红，其分红的多少仅与公司的经营状况挂钩，而与劳动者的日常工作表现无关，则此时的激励股权收益难以体现按劳分配的特点，故难以认定此时的收益为劳动报酬。但是，若员工获得激励股权后仅是获得了一种额外收益的可能性，只有在员工满足一定条件（包括绩效考核合格、达成一定销售目标等）的情况下，该可能性才能转换为现实利益，则此时的股权激励收益实质上依然符合按劳分配的特点，也反映了用人单位对劳动者的人身管理属性。

综上，建立在劳动者和用人单位劳动关系基础上，与劳动者履行劳动合同的效果（如绩效）等因素有关，体现劳动对价性及人身从属性，劳动者据此获得的股权激励涉及的财产性收益应属于劳动报酬。反之，则不属于劳动报酬。

2. 股权激励收益的裁判规则

承上分析，对于具有劳动报酬属性的股权激励收益，在劳动争议案件审查时，主要在于明确其与经济补偿金的关系，即股权激励收益是否计入经济补偿金的计算基数及相应的计算方式。

（1）股权激励收益与经济补偿金的关系

《中华人民共和国劳动法》第五十条规定，工资应当每月以货币形式支付给劳动者本人。从该条的立法本意探寻，作此规定的目的其实是防止用人单位抱着去库存、以物抵债的心理，以公司实物抵销拖欠的劳动者工资，保障劳动者的基本生存权。如果简单理解工资只能以货币形式支付其实是有待商榷的。前文已经分析，股权激励收益可能构成劳动者的劳动报酬。此处的收益实质上指的是限制性股票解禁时劳动者获得的差价收益，此收益是可以以货币衡量、可以以货币形式展现的，故应计入经济补偿金的计算基数。

（2）具体计算方式

经济补偿金的计算基数之所以是劳动者离职前十二个月平均工资，是因为该工资最能真实反映劳动者离职之时劳动所获得的对价。而股权激励属于用人单位的一项长期性激励措施，其对应的期间为劳动者获得激励股权之日至其权益实现之日，体现的是该段期间内劳动者的工作表现、工作量及对用人单位的贡献率。不能仅因为劳动者在某一个月份兑现激励股权收益就将其视为该月劳动者的工资性收入。故在将股权激励收益计入经济补偿金计算基数时，应根据案件实际情况对劳动者取得的股权激励收益对应的时间段进行区分，分摊计入，对于劳动者离职前十二个月范围外的激励收益予以剔除。

编写人：广东省广州市中级人民法院　陈丹　赵洋洋

32

女职工是否有权单方缩减哺乳期并主张终止劳动合同经济补偿

——仇某诉服装公司劳动合同案

【案件基本信息】

1. 裁判书字号

上海市第二中级人民法院（2021）沪 02 民终 8144 号民事判决书

2. 案由：劳动合同纠纷

3. 当事人

原告（上诉人）：仇某

被告（被上诉人）：服装公司

【基本案情】

仇某于 2017 年 9 月 18 日入职服装公司，担任法律顾问，双方于同日签订了期限为 2017 年 9 月 18 日至 2020 年 9 月 30 日的《劳动合同》。2020 年 3 月 16 日，仇某生育一子。2020 年 9 月 8 日，服装公司向仇某发送《劳动合同到期不再续签通知书》，载明双方的劳动合同将于 2020 年 9 月 30 日到期，因仇某处于女职工“三期”，故将劳动合同期限延续至 2021 年 3 月 15 日，且服装公司决定在合同到期后不再续签，若仇某在 2021 年 3 月 15 日前主动离职将无法获得法定经济补偿金。2020 年 12 月 12 日，仇某向服装公司寄送《情况说明》，告知服装公司其自 2021 年 1 月 1 日起不再继续哺乳，鉴于仇某哺乳期情形消失，故劳动合同应当于哺乳期情形消失即 2021 年 1 月 1 日时终止，鉴于服装公司已明确合同到期后不再续签，故要求服装公司于 2021 年 1 月 4 日前结算工资、奖金、经济补偿金等款项并办理退工。2020 年 12 月 23 日，服装公司针对仇某提交的《情况说明》作出答复，认为仇某单方缩短哺乳期缺乏法律依据，若仇某出于身体状况等个人原因需要请假等，服装公司会在仇某提供相关文件后充分考虑并予以合理安排，若仇某坚持办理离职手续，则属因个人原因主动离职，不应获得经济补偿金。后仇某通过邮件向服装公司提出异议，并再次坚持《情况说明》中所涉观点。后服装公司为仇某办理了内容为 2021 年 1 月 1 日合同解除的退工证明。2021 年 2 月 1 日，仇某向上海市劳动人事争议仲裁委员会申请仲裁，要求服装公司支付终止劳动合同的经济补偿金 100590 元。该仲裁委对仇某的请求事项不予支持。仇某不服该裁决，在法定期限内向法院起诉，请求判令服装公司支付终止劳动合同经济补偿金 100590 元。服装公司不同意仇某的诉讼请求。

【案件焦点】

仇某作为处于哺乳期内的女职工是否有权单方缩减哺乳期、提前终止劳动合同并获经济补偿。

【法院裁判要旨】

上海市静安区人民法院经审理认为：哺乳期女职工无权单方缩减哺乳期，案件处理关键在于对哺乳期性质的界定。根据《女职工劳动保护特别规定》第九条第一款“对哺乳未满 1 周岁婴儿的女职工，用人单位不得延长劳动时间或者安排夜班劳动”等规定，女职工的哺乳期应当为自婴儿出生至满一周岁止，该期限不以喂养方式、个人身体原因是否具备哺乳条件而发生变化。同时，《中华人民共和国劳动合同法》规定，劳动合同期满，存在女职工在孕期、产期、哺乳期情形的，劳动合同应当延续至该情形消失时终止。

根据本案查明的事实，仇某在 2020 年 3 月 16 日生育，哺乳期应当至 2021 年 3 月 15 日止，故双方原本于 2020 年 9 月 8 日期满的劳动合同应当延续至 2021 年 3 月 15 日终止。现仇某以 2021 年 1 月 1 日起自身不具备哺乳条件、哺乳期情形消失为由，主张劳动合同顺延至 2021 年 1 月 1 日终止，于法无据。此外，服装公司已多次明确告知仇某若在劳动合同到期日即2021年3月15日前离职则将无法获得经济补偿金，由此可见服装公司已尽充分告知义务，在此情况下仇某仍坚持要求办理离职手续，并已实际领取了退工单，现仇某要求服装公司支付经济补偿金，依据不足。

据此，上海市静安区人民法院依照《中华人民共和国劳动法》第七十八条之规定，判决如下：

驳回仇某的诉讼请求。

二审法院同意一审法院裁判意见。

【法官后语】

女职工特殊待遇保护是审判实践的热点和难点问题。女职工能否单方缩短哺乳期、是否有权提前终止劳动合同并主张经济补偿，应当从哺乳期的性质、劳动合同法定顺延的规定、当事人具体行为表现等方面综合判断。

1. 哺乳期的性质界定

为了保护母婴健康、鼓励和支持母乳喂养，立法对哺乳期的女职工劳动合同的履行和解除进行了特殊规定。根据目前相关法律规定，女职工的哺乳期应当为自婴儿出生至满一周岁止，且该期限不以喂养方式、个人身体原因是否具备哺乳条件而发生变化。国家法律法规对哺乳期女职工与婴儿的特别保护，属于法律强制性规范，不因个人意志予以变更和排除适用，法律法规并未规定可以通过用人单位与劳动者双方约定或通过单方规定的方式而缩减。本案中，仇某在2020年3月16日生育，哺乳期应当至2021年3月15日止，该哺乳期的届满日期不因仇某身体原因和喂养方式的改变而发生变化。

2. 哺乳期情形下的劳动合同法定顺延

劳动双方可以约定劳动合同的有效期间。如果劳动双方对劳动合同的期限有明确约定的，通常情况下，劳动合同期限届满时，则该合同自然终止。不过，对一些具有特殊情形的劳动者，即使合同期限届满也不得终止，亦即劳动合同的终止受到限制，劳动合同的终止时间非因劳动双方当事人意志而延长。《中华人民共和国劳动合同法》第四十二条规定：“劳动者有下列情形之一的，用人单位不得依照本法第四十条、第四十一条的规定解除劳动合同……（四）女职工在孕期、产期、哺乳期的……”第四十五条规定：“劳动合同期满，有本法第四十二条规定情形之一的，劳动合同应当续延至相应的情形消失时终止……”从上述规定可见，女职工哺乳期情形系法定顺延的情形之一。本案中，仇某在2020年3月16日生育，哺乳期应当至2021年3月15日止，故双方原本于2020年9月8日期满的劳动合同应当延续至2021年3月15日终止，该终止时间的确定不以用人单位或劳动者的意志为改变。

3. 哺乳期情形下女职工要求提前终止劳动合同的法律后果

在劳动合同法定顺延期间，应视为在原劳动合同期限内。本案中，仇某虽称其并非主动离职，而是提前终止劳动合同，但其提前终止劳动合同的诉称意见缺乏相应的法律依据，其在服装公司已尽充分告知义务的情况下坚持要求办理离职手续，应当视为仇某主动辞职。对于主动辞职的劳动者的经济补偿金问题，劳动者按照《中华人民共和国劳动法》第二十四条的规定，主动提出解除劳动合同的，用人单位可以不支付经济补偿金。

综上，本案综合考量女职工生育及哺乳情况、用人单位履行告知义务等事实，准确适用相应的法律规定将哺乳期界定为自婴儿出生至满一周岁止的法定概念，判定该期限不以喂养方式、个人身体原因是否具备哺乳条件而变化，据此认定女职工放弃哺乳期提前离职的法律后果，对类案的审理具有一定借鉴意义。

编写人：上海市静安区人民法院 陈秀兰 肖楠

33

特殊岗位未满足履职期限不符合发放激励性离任津贴条件

——艺术品交易公司诉吕某劳动争议案

【案件基本信息】

1. 裁判书字号

北京市第一中级人民法院（2021）京 01 民终 6758 号民事判决书

2. 案由：劳动争议纠纷

3. 当事人

原告（被上诉人）：艺术品交易公司

被告（上诉人）：吕某

【基本案情】

被告吕某于 2014 年 6 月 19 日入职原告艺术品交易公司。双方于 2014 年 6 月 19 日签订了第一份《劳动合同书》，于 2017 年 6 月 19 日签订了第二份《劳动合同书》，合同期限为 2017 年 6 月 19 日至 2019 年 12 月 31 日。2017 年 1 月 22 日，根据艺术品交易公司内部《特殊岗位离任津贴管理办法（试行）》的规定，原被告双方签订了《特殊岗位离任合同》（以下简称离任合同），约定在满足《特殊岗位离任津贴管理办法（试行）》及离任合同相关条件的情形下，被告可享受特殊岗位离任津贴。离任合同约定被告自愿承诺在原告处的履职期限为 2014 年 6 月 19 日至 2022 年 6 月 18 日。2019 年 4 月 28 日，被告向原告提交了辞职申请书。2019 年 5 月 31 日，被告办理了离职手续，原告依法向被告开具了离职证明。在 2019 年 5 月 31 日《交接单》中，被告确认双方不存在任何其他争议。

因双方就发放离任津贴发生争议，被告向北京市石景山区劳动人事争议仲裁委员会提起仲裁。该仲裁委员会于2020年5月6日作出裁决，支持被告关于特殊岗位离任津贴的主张。原告艺术品交易公司对此不服，向法院提出诉讼请求：1. 判令原告无需向被告支付2015年度特殊岗位离任津贴30万元；2. 判令原告无需向被告支付2016年度特殊岗位离任津贴30万元。对此，被告吕某辩称：1. 依据《劳动合同书》的约定，离任津贴属于一种针对特殊岗位员工的激励制度，享有离任津贴的前提是签订离任合同。自己已经签订了离任合同，符合领取离任津贴的条件。2. 离任津贴本质上就是奖金，属于工资的一部分，现在被告已经离职，原告应向被告支付离任津贴。3. 离任合同第二条虽然约定了履职期限，但并未约定履职期限届满才能领取离任津贴。4. 原告的交接单中双方不存在任何争议的意思表示不是被告的真实意思，是原告的格式模板，没有约束力。

【案件焦点】

1. 离任津贴的性质；2. 是否具备发放离任津贴的条件。

【法院裁判要旨】

北京市石景山区人民法院经审理认为：针对焦点问题一，用人单位并未与劳动者明确约定该津贴的性质，双方约定该津贴按年度评定，按照性质应当视为年度奖励，属工资范畴。

针对焦点问题二，第一，涉案合同中并未明确约定津贴发放条件；第二，艺术品交易公司提供的《特殊岗位离任津贴管理办法（试行）》并未通过职工代表大会表决等相应合法程序，亦不在劳动合同约定内，不能成为约束本案双方的依据。艺术品交易公司未提供证据证明其于吕某在职期间公布过上述管理办法。退一步讲，即使双方约定了到期离任时发放该津贴，该约定亦因违反工资支付的相应规定而无效。第三，交接单中载明的双方不存在任何其他争议不涉及工资发放的事实。第四，计发单仅系艺术品交易公司单方出具，不能作为凭证。第五，对双方约定的“到期离任”作合同目的解释，可以得出以下结论：1. 合同到期时，吕某即可以领取 2015 年及 2016 年的津贴。2. 双方签订了两份劳动合同，亦变更过合同履行期限，但是离任津贴的期限并未因合同变更而变更。合同目的系保证吕某能够持续稳定地提供劳动，现劳动合同已经变更期限，领取离任津贴的期限应当随之变更，才更符合合同目的本意。

北京市石景山区人民法院依照《中华人民共和国劳动合同法》第二十九条、第三十七条之规定，判决如下：

一、艺术品交易公司于本判决生效后七日内给付吕某 2015 年度特殊岗位离任津贴 300000 元；

二、艺术品交易公司于本判决生效后七日内给付吕某 2016 年度特殊岗位离任津贴 300000 元；

三、驳回艺术品交易公司的诉讼请求。

艺术品交易公司不服，提起上诉。北京市第一中级人民法院经审理认为：本案的争议焦点在于吕某是否满足特殊岗位离任津贴的发放条件。艺术品交易公司与包括吕某在内的特殊岗位人员签订离任合同的目的是激励吕某等人长期稳定为公司提供劳动，离任津贴的计发系鼓励吕某在工作中认真履职尽责，圆满完成各年度工作任务。履职期限是离任合同的重要条款，故吕某获得特殊岗位离任津贴必须满足离任合同关于履职期限的约定，即以其工作到履职期限为前提，以保持权利与义务具有一致性。因吕某于 2019 年 5 月 31 日自愿离职，既未工作到离任合同中载明的履职期限届满日，亦未工作到最后一份劳动合同中载明的劳动合同期限截止日，故不符合离任津贴的领取条件。

北京市第一中级人民法院依照《中华人民共和国民事诉讼法》第一百七十条第一款第二项规定，判决如下：

一、撤销一审判决；

二、艺术品交易公司无需向吕某给付 2015 年度特殊岗位离任津贴 300000 元；

三、艺术品交易公司无需向吕某给付 2016 年度特殊岗位离任津贴 300000 元。

【法官后语】

许多企业通过制定严密的薪酬体系，以多样化的薪酬或福利激励机制来鞭策员工努力工作，提高工作效率，同时也能保持人才优势，提升企业竞争力。其中，长期激励薪酬备受关注，长期激励薪酬又称长期激励计划，主要指根据超过一年（通常是三年至五年）的绩效周期来评定员工业绩并据此对员工进行激励的计划。它通过把员工的收益企业的长期绩效联系在一起，激励员工为企业长期绩效考虑，避免员工的短期行为。这类激励的一大特征是价值较高，但是需要企业员工长期稳定工作到达一定时间节点才能获得相应的回报，一般包括现金与股权两种。

1. “特殊岗位离任津贴”的性质分析

本案例涉及“特殊岗位离任津贴”。津贴本身是指补偿职工在特殊条件下的劳动消耗及生活费额外支出的工资补充形式，常见的包括矿山井下津贴、高温津贴等。可以看出，津贴本身和一定的特殊工种或特殊工作环境等相挂钩。分析案例中双方签订的合同文本和艺术品交易公司的相关制度，其中明确“‘特殊岗位离任津贴’是指与本公司签订《特殊岗位离任合同》的人员，在特殊岗位上履职满约定年限，完成各年度工作任务，经考核合格后提名享有的专项津贴”。因此笔者更倾向于认为，尽管本案的特殊岗位离任津贴带有津贴的名字，但并不是典型意义上的津贴，其应是一种长期现金激励，是用人单位因劳动者的突出劳动贡献或激励劳动者继续积极工作而向劳动者支付附条件的具有“奖金性质”的薪酬。

2. “特殊岗位离任津贴”的发放要求和领取条件分析

本文所说的离任津贴更类似于公司给予员工的长期现金激励。长期现金激励，并不是劳动法明确规定的条目，通过检索相关案例也较为少见，具有一定争议。对此，二审法院主要从公司设立离任津贴的实际目的角度解释作出艺术品交易公司无需支付离职津贴的判决。

对此笔者认为，根据《关于工资总额组成的规定》第四条规定，工资总额由下列六个部分组成：（1）计时工资；（2）计件工资；（3）奖金；（4）津贴和补贴；（5）加班加点工资；（6）特殊情况下支付的工资。不管“特殊岗位津贴”属于津贴还是奖金，其仍属于基础工资的范畴，属于员工离职后具备条件即可领取的项目。因此，需进一步分析吕某是否具备约定或法定的领取条件和发放要求。

从领取条件来看，双方约定“享受离任津贴的人选，原则上一年一确定……经批准享受离任津贴的人员，本公司发给《特殊岗位离任津贴计发单》，作为履职期满后申领离任津贴的依据”。艺术品交易公司向吕某发放2015年度和2016年度《特殊岗位离任津贴计发单》，吕某已经具备领取的依据。

从艺术品交易公司的发放要求来看，双方明确约定津贴只是“一年一确定……履职期满后申领”，艺术品交易公司每年发放的《特殊岗位离任津贴计发单》是一种附条件的凭证，只有履职期满才能申领，而案例中吕某因个人原因提前辞职，履职期限中断，故而其并不符合申领发放要求。进一步从双方约定背后的期待与目的分析，艺术品交易公司希望通过津贴强化吕某的主人翁意识，期待吕某提升其积极性从而为企业创造更多的价值。而吕某的目的主要是通过提供约定期限的劳动资源，转化成符合内心期待的金钱价值。双方的期待与目的形成对应，从而建立劳动关系。

尽管劳动关系是受劳动法规制，但是在当前市场经济的人力资源背景下，亦应考虑到劳动关系双方权利和义务的统一。案例中的吕某在一定程度上拥有更多的资源与更高的议价能力，其作为市场上的“理性人”，在期待履职收益的同时，也应充分考量附带条件，并对违反该附带条件所带来的后果有更清楚的认知。其履职收益应与履职义务、风险相匹配，本案例中二审的判决亦体现了该精神。

编写人：北京市石景山区人民法院　刘叶

34

用人单位不应以劳动者未盈利要求其退还已发放的佣金奖励

——房地产经纪公司诉韦某劳动争议案

【案件基本信息】

1. 裁判书字号

北京市第三中级人民法院（2021）京03民终7462号民事判决书

2. 案由：劳动争议纠纷

3. 当事人

原告（上诉人）：房地产经纪公司

被告（被上诉人）：韦某

【基本案情】

韦某于2013年4月1日入职房地产经纪公司，担任物业顾问。2015年5月27日，韦某于《员工手册》员工名录中签名确认，该手册载明："……48.3所有前线员工的佣金、奖金、提成等的支付，均需以所涉及的交易已办理完毕，且需以公司已实际收到交易方所支付的全部费用（含佣金、奖金等）为前提条件。在公司没有收到交易方所支付的费用前，公司有权拒绝支付员工的佣金、奖金、提成……"韦某于2017年4月10日离职。

房地产经纪公司称，韦某在职期间促成一单交易，房地产经纪公司于2017年1月20日向韦某发放该单交易的佣金22540.62元，后因客户退房，房地产经纪公司于2018年3月22日向开发商退还该单交易的佣金130121元。现房地产经纪公司要求韦某退还已发放的佣金奖励，其就本案劳动争议向北京市朝阳区劳动人事争议仲裁委员会提出仲裁申请，仲裁委员会作出不予受理通知书。

房地产经纪公司不服，遂诉至法院。

【案件焦点】

出现退单情况下被告是否应当退还其已接收的佣金，即房地产经纪公司作为用人单位未因该单交易获利时，韦某作为劳动者是否应当获得其佣金奖励。

【法院裁判要旨】

北京市朝阳区人民法院经审理认为：本案中，《员工手册》就佣金支付条件作出约定，但双方对于该约定中“所涉及的交易已办理完毕”的理解存在争议。在该条款未对“办理完毕”作出明确解释的情况下，房地产经纪公司主张“办理完毕”系办完过户，韦某主张系签完认购合同、支付首付款完毕。虽双方均未就其主张提交相应证据证明，但根据双方履行情况来看，韦某促成该单交易后，房地产经纪公司即实际向被告发放了佣金，其未对该行为与其主张不一致的情况作出合理解释，故应当视为房地产经纪公司认可韦某符合领受该单交易佣金的条件，即韦某已促成交易“办理完毕”，故其应当获得双方约定的佣金奖励。

现房地产经纪公司主张因客户退房，其向开发商退回了该单交易的佣金，故要求韦某亦退还其佣金，该请求缺乏依据。一方面，房地产经纪公司是否向开发商退还佣金属于其与开发商之间的权利义务关系范畴，该权利义务关系项下的约定并不直接对韦某产生约束力；另一方面，《员工手册》并未对退单情况下应当退还佣金作出约定。在韦某已经实际提供劳动并达成双方约定的佣金奖励条件的情况下，房地产经纪公司要求以其是否获利来作为韦某是否应当获得佣金奖励的条件，系对于双方约定的擅自变更，没有法律依据。

北京市朝阳区人民法院依照《中华人民共和国民事诉讼法》第六十四条、《最高人民法院关于适用〈中华人民共和国民事诉讼法〉的解释》第九十条之规定，判决如下：

驳回原告房地产经纪公司的诉讼请求。

房地产经纪公司不服，提起上诉。北京市第三中级人民法院经审理认为：

本案中，《员工手册》就佣金支付条件作出约定，以所涉及的交易已办理完毕，且需以公司已实际收到交易方所支付的全部费用（含佣金、奖金等）为前提条件。根据本案所查事实，房地产经纪公司在韦某促成案涉交易后即实际向韦某发放了佣金，现其主张因案涉交易退单导致其向开发商退还佣金故其未“实际收到”费用，据此要求韦某退还佣金，但其认可在支付韦某佣金时符合佣金支付条件，并未对其主张支付佣金行为有误作出合理解释，故应当视为房地产经纪公司认可韦某符合领受该单交易佣金的条件。且《员工手册》并未对退单情况下应当退还佣金作出约定，在韦某已经实际提供劳动并达成双方约定的佣金支付条件的情况下，房地产经纪公司要求韦某退还佣金缺乏依据。房地产经纪公司是否向开发商退还佣金亦属于其与开发商之间的权利义务关系范畴，并不对直接对韦某产生约束力。故一审法院综合全案事实驳回房地产经纪公司的诉讼请求并无不当。房地产经纪公司上诉理由依据不足，不予采信。

北京市第三中级人民法院依照《中华人民共和国民事诉讼法》第一百七十条第一款第一项规定，判决如下：

驳回上诉，维持原判。

【法官后语】

在劳动关系履行过程中，佣金、提成等带有激励性质的收入，一方面涉及劳动者按劳取酬权益的保护，另一方面也关系到用人单位自主经营管理权限的行使。随着新业态、新用工模式的发展，在劳动争议裁审实践中，因佣金奖励、提成等而产生的纠纷越发常见，双方通常因金额、发放条件、发放时间等问题产生争议。本案即为劳动者在促成交易之后，出现客户退单的情况，用人单位要求劳动者返还已发放的佣金，一审、二审判决均未支持用人单位的请求。通过本案的裁判，笔者认为在此类案件中，主要有以下三个问题值得讨论。

第一，佣金、提成等发放条件的确定。实践中，不少劳动合同中就已对佣金、提成的发放条件作出明确约定，大多数条件为促成签单、交易回款、用人单位获益达一定比例等，在相关约定不违反法律法规，不侵害国家、集体及第三人利益的情况下，双方均应严格履行。但需要说明的是，在劳动关系中，不论是在劳动合同的签订方面还是在佣金或提成的发放方面，用人单位均占有主导地位，劳动者并不完全享有充分协商、选择的权利，所以一旦双方因约定不明确或发放条件产生争议，则用人单位在就其主张的合法性、合理性方面负有更严格的说明义务和举证责任。以本案为例，《员工手册》对双方有争议的“交易办理完毕”一节并无明确规定，且房地产经纪公司在其所主张的“交易办理完毕”条件未成就的前提下，亦实际向韦某发放了佣金，那么房地产经纪公司应就其行为进行合理解释、就其主张进行举证。其无法解释说明并举证，同时，韦某的主张与实际情况相符，在此情况下，应采信韦某关于“交易办理完毕”的相关主张。

第二，劳动者就其促成的交易承担责任的范围。佣金、提成等奖励性收入，系劳动者根据其提供的劳动所获得的货币性收入，亦属于工资的一部分，但有别于基本工资、固定工资等，佣金、提成的获得取决于劳动者的业绩，而业绩一定程度上又影响到用人单位的利益。因此，当用人单位与劳动者约定佣金、提成等奖励时，通常系为激励劳动者积极发挥主观能动性，为用人单位创造更大的价值，从而既能让劳动者通过“多劳多得”获得丰厚的劳动报酬，也能使用人单位从中实现其盈利的目的。那么，劳动者的佣金、提成的发放是否应与公司盈利必然相关呢？对此，笔者持否定态度。用人单位是否盈利涉及多方面的综合因素，劳动者所提供的劳动系其中一环，但并非全部决定性因素，劳动者在尽职尽责地促成交易后，应就与其工作内容、工作职责相匹配的范围承担责任，而以用人单位是否就该笔交易盈利来判断劳动者是否应当领受约定的佣金、提成等，一方面超出劳动者的能力范围，其通过自身劳动亦无法保障必然实现用人单位的盈利，故不利于保障劳动者获得劳动报酬的权利，另一方面该条件系用人单位向劳动者转嫁商业经营风险。通过本案不难看出，通常情况下，一旦交易最终完成，用人单位获益远高于劳动者所获得的劳动报酬，如果设置该类条件，则用人单位、劳动者所享有的权利和所负担的义务、所获得的收益和所面临的风险之间并不对等，有失公平。

第三，用人单位权益保障问题。从用人单位的权益视角看，一旦出现“退单”，无法要求劳动者返还佣金、提成奖励，同时也未能实现收益，是否意味着对用人单位合法权益的损害？其实不然，在此类案件中，对于用人单位合法权益的保护，可从以下两个方面入手，一是对于“退单”原因的审查，如系因劳动者原因导致出现“退单”，则应当由劳动者承担相应的责任，根据双方约定或公司规章制度来判断是否应退还相应奖励收入或向用人单位赔偿相应损失；二是用人单位依照交易所缔结的合同向他方主张相应权利，如缔约过失责任、违约责任等，以此来保障用人单位的权益。

编写人：北京市朝阳区人民法院　姜真

35

员工因违法解除劳动合同而离职
不应成为用人单位拒付年终奖的理由

——刘某诉某酒店劳动争议案

【案件基本信息】

1. 裁判书字号

北京市第二中级人民法院（2021）京 02 民终 13615 号民事判决书

2. 案由：劳动争议纠纷

3. 当事人

原告（上诉人）：刘某

被告（上诉人）：某酒店

【基本案情】

刘某于 2019 年 9 月 9 日入职某酒店，双方签订劳动合同，期限至 2022 年 9 月 8 日止，岗位为酒店前厅部高级值班经理，每月工资 6500 元（税前）。2020

年 12 月 11 日，双方解除劳动合同。后经仲裁裁决，某酒店属违法解除与刘某的劳动合同。某酒店向刘某支付违法解除劳动合同赔偿金 19500 元。

后刘某向北京市劳动人事争议仲裁委员会申请本案前置仲裁，请求某酒店支付 2020 年年终奖金、失业保险金损失等。仲裁裁决：一、某酒店向刘某支付失业金损失 1264.67 元；二、驳回刘某的其他仲裁请求。刘某不服部分结果，提起本案诉讼，请求某酒店支付 2020 年终奖金 26000 元、2021 年 1 月 1 日至 2 月 17 日期间失业保险金损失等。某酒店同意仲裁裁决结果，不同意刘某的诉讼请求。

审理中，刘某主张某酒店于 2019 年按其月工资四倍向其支付年终奖金，故仍应按此标准向其支付 2020 年终奖 26000 元。某酒店认为，根据其《员工手册》规定，酒店依据当年业绩和盈利状况考虑为员工发放奖金，当年度奖金发放方案将以酒店公布内容为准；员工工作表现和出勤情况作为奖金计算的参考；奖金发放之日（含当日）前以任何形式离职的员工都不予发放本年度奖金。奖金政策每年调整，具体情况向人力资源经理/总监咨询。刘某已离职，且 2020 年度存在多次迟到和数次违纪行为，不符合发放年终奖金的条件。刘某认可《员工手册》真实性，不认可证明目的。某酒店承认已于 2021 年 1 月 29 日向员工发放了 2020 年度奖金。

刘某系城镇户口，于 2021 年 2 月 18 日进行失业登记。因某酒店按刘某本人意愿离职申报其离职原因，致使其不能申请领取失业保险金。经仲裁，某酒店将其离职原因修改为“非本人意愿离职”，仲裁裁决某酒店赔偿刘某自 2021 年 2 月 18 日至 3 月 9 日失业保险金损失 1264.67 元，但对 2021 年 1 月 1 日至 2 月 17 日期间的失业保险金损失未处理。二审中，某酒店提交银行付款凭证，证明其公司已向刘某支付失业金赔偿款 1264.67 元；刘某认可。

【案件焦点】

1. 某酒店《员工手册》规定在奖金发放之日（含当日）前以任何形式离职的员工都不予发放本年度的奖金是否合法有效；2. 某酒店是否可以 2020 年 12 月 11 日解除劳动合同（违法解除）为由，拒付刘某 2020 年年终奖金；3. 某酒店是否应赔偿刘某进行失业登记前的失业保险金损失。

【法院裁判要旨】

北京市东城区人民法院经审理认为：奖金发放属于用人单位自主权的范围，某酒店《员工手册》对奖金发放有明确规定。某酒店向员工发放 2020 年度年终奖时，刘某与某酒店已解除劳动合同，已不是公司员工，不符合《员工手册》中应发放年终奖金的条件，故刘某主张某酒店发放 2020 年度年终奖，缺乏依据，不予支持。

某酒店填报刘某离职原因有误，造成刘某失业登记未通过，无法申领失业保险金，故对其修改信息前给刘某造成的损失应予赔偿。仲裁未处理刘某 2021 年 1 月 1 日至 2 月 17 日期间的损失，法院依法核算。

北京市东城区人民法院依据《中华人民共和国劳动法》第七十三条第一款第四项、第七十五条第一款，《北京市工资支付规定》第十六条之规定，判决：

一、某酒店向刘某支付 2021 年 2 月 18 日至 3 月 9 日期间失业金损失 1264.67 元；

二、某酒店赔偿刘某 2021 年 1 月 1 日至 2 月 17 日期间失业保险金损失 2971.91 元；

三、驳回刘某的其他诉讼请求。

刘某、某酒店均不服一审判决，提起上诉。北京市第二中级人民法院经审理认为：某酒店于 2021 年 1 月 29 日向员工发放了 2020 年年度奖金，其公司依据《员工手册》“在奖金发放之日（含当日）前以任何形式离职的员工都不予发放本年度的奖金”的规定，以刘某在发放奖金时已离职，且 2020 年度存在多次迟到和数次违纪行为为由，不予发放刘某 2020 年奖金。但某酒店 2020 年 12 月 11 日系违法解除与刘某的劳动合同，未提供劳动的原因并非刘某，其公司依据《员工手册》规定不予发放刘某 2020 年年终奖金不合理，且某酒店未提供充分证据证明经考核认定刘某不应享有年终奖，故某酒店应发放刘某 2020 年度年终奖。

某酒店已赔偿刘某 2021 年 2 月 18 日至 3 月 9 日期间失业金损失 1264.67

元，法院不持异议。领取失业保险金的条件为：1. 失业前用人单位或者劳动者已经缴纳失业保险费满一年；2. 非本人意愿中断就业的；3. 已经进行失业登记，并有求职要求的。本案中，某酒店于2020年12月11日违法解除与刘某劳动合同，但填报刘某离职原因有误，刘某进行失业登记时间为2021年2月18日，故刘某依法应自该日起领取失业保险金，其失业保险金损失亦自该日产生，此前并无相应损失。某酒店上诉主张无需赔偿刘某2021年2月18日之前的失业保险金损失，应予支持。

北京市第二中级人民法院依据《中华人民共和国民事诉讼法》第一百七十条第一款第二项规定，判决：

一、撤销一审判决第二项、第三项；

二、变更一审判决第一项为：某酒店支付刘某2021年2月18日至3月9日期间失业金损失1264.67元（已履行）；

三、某酒店支付刘某2020年年终奖金26000元；

四、驳回刘某的其他诉讼请求。

【法官后语】

一方面，我国法律法规并未明确规定发放年终奖系用人单位必须承担的强制性义务。年终奖不属于狭义工资范畴，其本质是一种奖励，是广义上工资的一种形式。用人单位具有发放年终奖金的自主性，可以自行规定，也可以与劳动者进行约定，从而成为劳动者主张年终奖的效力渊源。实践中，用人单位在制定年终奖规则时，通常会对年终奖的发放条件进行限制，如“需完整提供一年劳动服务”“需完成特定绩效考核目标”“需于发放时仍然在职”“与单位效益挂钩”等。此类限制不违反效力性强制性规定，亦无损社会公共利益，不会直接导致该年终奖规则无效或不成立，通常认为对劳动者产生约束力。考虑到过度强调保护劳动者的劳动报酬权而忽视企业的生产经营状况，可能导致一部分有潜力的企业破产，进而造成更多劳动者失业，最终不利于社会经济稳定、企业生存发展和劳动者权益保障，法院在审理有关离职员工年终奖纠纷案件时，通常尊重用人单位的自主经营管理权及劳动关系双方的意思自治，按照有关年终奖的规定或约定或此前的发放先例，判定用人单位是否应支付离职员工年终奖。

另一方面，《中华人民共和国劳动合同法》第一条明确规定了劳动合同法的立法宗旨，即完善劳动合同法律、倾斜保护劳动者利益、建设稳定的劳动关系，这是对社会分配关系的一种确认。现代企业发展经营应遵循义利兼顾、依法科学管理的原则，企业追求经济效益最大化不应以损害劳动者的合法权益为代价。由于劳动者与用人单位之间具有不平等性，劳动者在劳动关系中处于弱势地位，为平衡双方利益，在劳动争议纠纷中体现为对劳动者合法权益的倾斜保护。据此，在有关年终奖的劳动争议纠纷中，当劳动合同约定与企业内部规章关于年终奖的规定有冲突时，应当优先适用劳动合同约定；但当企业内部规章对劳动者更有利时，则应当适用对劳动者有利的规定。当劳动合同和企业规章有关年终奖的规定不明或没有规定，但企业有发放年终奖的先例，则应当判定企业依照该先例向劳动者发放年终奖。

特别应指出，企业对年终奖发放条件进行限制的规定，不应对劳动者正当权益的实现形成阻碍。当用人单位单方面违法与无过错的劳动者解除劳动合同致使其不满足企业年终奖发放条件时，应认定用人单位不正当阻止条件成就，视为条件已成就，故应认定离职员工满足年终奖发放条件并判决用人单位支付年终奖。具体到本案，某酒店虽在《员工手册》中明确规定"在奖金发放之日（含当日）前以任何形式离职的员工都不予发放本年度的奖金"，但其与刘某解除劳动合同已被法院认定为违法，且其于 2021 年 1 月已向员工发放了 2020 年年度奖金，诉讼中亦未提供充分证据证明经考核认定刘某不应享有年终奖，故某酒店以刘某在发放奖金时已离职为由，不予发放刘某 2020 年奖金，应认定为不当阻止发放年终奖金的条件成立，视为条件已成就。故二审法院改判某酒店应发放刘某 2020 年度年终奖。

另，二审法院根据《中华人民共和国社会保险法》关于领取失业保险金条件的规定，认定刘某于 2021 年 2 月 18 日前尚未进行失业登记，故尚未满足法律规定领取失业保险金的条件，据此改判某酒店无需赔偿刘某 2021 年 2 月 18

日之前的失业保险金损失。

编写人：北京市第二中级人民法院　张春燕

36

约定不明情形下职务发明奖励金额的酌定

——杨某诉建设公司劳动争议案

【案件基本信息】

1. 裁判书字号

重庆市第五中级人民法院（2021）渝05民终4413号民事判决书

2. 案由：劳动争议纠纷

3. 当事人

原告（被上诉人）：杨某

被告（上诉人）：建设公司

【基本案情】

2012年8月27日，杨某与建设公司签订《劳动合同书》，约定杨某从事技术管理类工作。建设公司的《创优创新专项奖励实施细则》第五条规定，发明专利每项奖励10万元，实用新型专利每项奖励5万元，国家级工法每项奖励5万元，省部级工法每项奖励3万元；第八条规定，同一项目多次获得不同级别的同类奖项，按最高级别计发奖金但不重复计奖；第十三条规定，经（集团）经营班子按本办法审定应兑现的创优专项奖励，均须拟定分配方案，即项目部按奖励金额的70%，公司相关部门按奖励金额的20%，相关分支机构按奖励金额的10%进行分配。

2013年至2015年期间，建设公司获得三项发明专利，专利权人为建设公司，发明人为杨某等数人；建设公司获得五项实用新型专利，专利权人为建设公司，发明人为杨某等数人；建设公司获得重庆市市级工法证书四份，建设公司为完成单位之一，主要完成人为杨某等人；建设公司获得国家级工法证书一份，完成单位为建设公司，主要完成人为杨某等人。杨某确认前述专利及工法是团队共同发明完成，并非其个人发明完成。

因与建设公司就工资及创优创新专项奖励产生争议，杨某于 2019 年 12 月 27 日向重庆市九龙坡区劳动人事争议仲裁委员会申请劳动仲裁，该委作出《超时未决定受理案件证明书》。杨某遂诉至法院，请求依法判令建设公司支付创优创新专项奖励 72 万元（发明专利 3 个×10 万元/个+实用新型 5 个×5 万元/个+国家级工法 1 个×5 万元/个+省部级工法 4 个×3 万元/个）。

【案件焦点】

用人单位的规章制度未具体规定发明人应得的职务发明奖励金额或者计算方式，如何公平合理地确定职务发明奖励的具体发放数额。

【法院裁判要旨】

重庆市九龙坡区人民法院经审理认为：应根据该公司《创优创新专项奖励实施细则》的相关约定，综合考虑每项发明专利、实用新型专利的奖励总数额、部门的分配比例、发明人或者工法完成人的个数等因素，并根据《中华人民共和国专利法》和《中华人民共和国专利法实施细则》的相关规定，酌情确定建设公司应向杨某支付的奖励数额。

重庆市九龙坡区人民法院依照《中华人民共和国专利法》第十六条、《中华人民共和国专利法实施细则》第七十七条规定，判决：

一、建设公司于本判决生效之日起十日内支付杨某发明专利、实用新型专利及工法奖励合计 29000 元；

二、驳回杨某的其他诉讼请求。

二审法院同意一审法院裁判意见。

【法官后语】

用人单位的规章制度虽然规定了职务发明的奖励标准和分配方式，但随着当前科技研发对智力和人力整合的现实需要，职务发明大多由多人合作完成，而规章制度往往仅对团队应得的奖励进行了规定，并未具体规定每个发明人应得的奖励金额或者计算方式。如何公平合理地确定具体奖励数额，当前的法律对此没有给予明确的指引，只能酌情确定数额，赋予了裁判者自由裁量空间，也成了司法实务中的难点问题。本案遵循“约定为主，法定为辅”的原则，将发明专利所创造的经济价值、发明人的贡献程度、发明人的岗位以及发明与岗位职责的关联性，作为确定职务发明奖励数额的考量因素。

首先，在确定给予发明人的合理报酬数额时，应优先考虑发明创造给用人单位创造的经济价值，如直接实施所产生的产品销售收入、营业利润、利用发明节约的生产成本，以及间接实施产生的许可使用费、转让费[①]等费用。其次，现代的技术发明越来越依靠多个发明人组成的团队合作完成，发明人对职务发明的贡献程度也应当作为重要因素加以考虑，在计算奖励和报酬时，先计算全体发明人应当获得的总奖励金额，再依据每个发明人在团队中的作用确定各自的贡献比例，尤其需要重视主要发明人的作用。此外，职务发明是否在发明人本职工作范围之内，是否得到发明人的岗位经验、业务知识及用人单位的技术和财力的支持也是需要考虑的要素。

本案中，建设公司的规章制度虽未具体规定每个发明人应得的奖励金额或者计算方式，但依据现有规定可以计算出职务发明及工法创造团队集体可以获得的总奖励金额，此时约定优先原则依然有效，不能直接使用法定最低标准来确定职务发明的奖励金额。在职务发明及工法创造团队集体可获得的总奖励金额可以确定的情形下，需要重点考量杨某作为发明人对职务发明的贡献程度。本案通过专利发明人的署名顺序推测杨某在研发中的贡献程度，对部分项目在法定金额之上予以主张；难以确定贡献程度的，参照法定金额予以确定。

---

① 参见刘强、陈卉：《职务发明奖酬司法实证研究》，载《科技与法律》2017 年第 3 期。

本案从公平合理这一核心价值出发，结合具体案情及日常生活经验，以当事人在规章制度中规定的奖励总金额及分配比例为计算基础，参照法定的奖励数额，将职务发明中的主客观因素，包括发明人的个数、发明人在专利研发中所作的贡献程度等纳入影响奖励数额认定的考量因素，最终确定单位应支付给职务发明人的奖励数额。本案生效裁判对于约定不明情形下职务发明奖励金额的酌定标准提供了一定的裁判思路。

编写人：重庆市第五中级人民法院　黎明

五、竞业限制

37

股票及股票期权能否作为竞业限制经济补偿的判断

——高某诉培训公司劳动争议案

【案件基本信息】

1. 裁判书字号

北京市第一中级人民法院（2021）京01民终1751号民事判决书

2. 案由：劳动争议纠纷

3. 当事人

原告（反诉被告、上诉人）：高某

被告（反诉原告、上诉人）：培训公司

【基本案情】

高某于2015年11月入职培训公司，2018年8月离职。双方签订《保密与不竞争协议》，约定高某离职后竞业限制期限为1年，并约定由培训公司的母公司于高某离职时发放股票期权若干作为其竞业限制经济补偿。后高某起诉请求培训公司向其支付竞业限制经济补偿。

培训公司提交银行收款回单，证明2018年8月高某支付了预付行权价以保留期权，进而证明公司已经通过保留期权的方式给付了竞业限制经济补偿。高某则主张，其与培训公司订立过2次劳动合同。在订立第一份劳动合同后，培训公司承诺由母公司授予其3万股期权，具体的期权归属条件是，工作满2年之后归属1.5万股，之后每工作1个月可以归属3万股的1/24；双方续订第二份劳动合同后，培训公司又承诺由母公司授予其1万股期权，具体的期权归属条件是，工作满2年之后归属0.5万股，之后每工作1个月可以归属1万股的1/24。在其离职时，其已经因为履行劳动合同而获得21250股期权的归属，具备行权资格，其于2018年8月支付的12344.64元即上述已经获得行权资格的期权的预付行权价；该次行权与培训公司承诺的于其离职时向其发放的竞业限制经济补偿无关，作为竞业限制经济补偿的期权，培训公司并未令其行权。

2019年8月8日，高某就本案纠纷提起仲裁申请。2019年12月23日，审理该案的仲裁委员会作出仲裁裁决：一、培训公司于裁决生效之日起十日内，支付高某2017年6月至2018年8月期间加班工资差额30464.19元；二、驳回高某的其他仲裁请求。双方均不服上述裁决，在法定期限内向法院提起了诉讼。

对于高某在培训公司期间就股票期权行过几次权，培训公司表示不清楚。为查清高某被授予过几次股票期权、期权的归属条件、归属数量、高某的行权次数、行权时间、行权价格等事实，法院要求培训公司提交双方签订的期权授予相关协议，培训公司未予提交。

【案件焦点】

1. 培训公司是否给付了竞业限制经济补偿；2. 双方以股票期权作为竞业限制经济补偿的约定是否有效。

【法院裁判要旨】

北京市海淀区人民法院经审理认为：高某与培训公司签订的《保密与不竞争协议》明确约定以其母公司向高某发放股票期权若干作为高某履行保密和不竞争的对价，说明双方已就高某竞业限制期限内补偿的实现方式进行了相应约定。高某要求培训公司支付竞业限制补偿金的诉讼请求缺乏事实依据，不予支持。

北京市海淀区人民法院依照《中华人民共和国劳动法》第四十四条、《中华人民共和国民事诉讼法》第六十四条第一款、《最高人民法院关于适用〈中华人民共和国民事诉讼法〉的解释》第九十条规定，判决：

一、培训公司于判决生效之日起十日内支付高某 2017 年 6 月至 2018 年 8 月期间的加班工资差额 30464.19 元；

二、驳回高某的其他诉讼请求；

三、驳回培训公司的诉讼请求。

高某提起上诉，北京市第一中级人民法院经审理认为：高某主张其 2018 年 8 月支付的预付行权价，指向的并非竞业限制经济补偿。法院为查清事实，要求培训公司提交期权授予相关协议，培训公司却不予提交，故培训公司需承担不提供相关证据的不利后果。因此，推定高某的相关陈述属实，培训公司仍需向高某给付竞业限制经济补偿。

劳动法是社会法，且由于劳动者在劳动关系中处于弱势地位，该法立法目的之一就是保护劳动者的权益。因此，对于用人单位来说，《中华人民共和国劳动合同法》的许多条文属于强制性规定。《中华人民共和国劳动合同法》第二十三条第二款就是这样的条款，该款规定，用人单位应当在解除劳动合同后，在竞业限制期限内按月给予劳动者经济补偿。这样规定的目的在于解决劳动者因竞业限制造成的就业受限而可能带来的生活困难，为其生存提供一定的经济保障，而按月给付的方式更有利于实现这一立法目的。这意味着，当补偿给付方式的约定较之上述强制性规定显得对劳动者不利，且劳动者亦如是主张，则从保护劳动者生存角度出发，可否定该约定的效力。

本案中，双方约定发放股票期权作为竞业限制经济补偿，而是否行使股票期权，很大程度上取决于在行权期间内，股票价格与购买期权价格之间是否存在差价从而能否获得盈利。培训公司的母公司并未公开上市，其股权并不存在一个各方接受的、确定的交易价格，高某能否因行权而盈利、盈利能否达到法定补偿的最低标准都是难以确定的；并且，因未公开上市，该股票期权无法随时兑现，欠缺流动性。该约定相对于前述强制性规定，对劳动者显著不利。因此，法院认定相关约定无效，视为未约定经济补偿，高某按照其离职前月平均收入的30%主张竞业限制经济补偿，于法有据。

北京市第一中级人民法院依照《中华人民共和国劳动法》第四十四条，《中华人民共和国劳动合同法》第二十三条、第二十四条、第五十条、第八十九条，《中华人民共和国劳动争议调解仲裁法》第六条，《中华人民共和国劳动合同法实施条例》第二十四条，《中华人民共和国民事诉讼法》第一百七十条第一款第二项规定，判决如下：

一、撤销一审判决；

二、培训公司于本判决生效之日起十日内向高某支付竞业限制补偿金112028.66元；

三、培训公司于本判决生效之日起十日内向高某支付2015年11月至2018年8月期间加班工资差额95680.31元；

四、驳回高某的其他诉讼请求；

五、驳回培训公司的诉讼请求。

【法官后语】

《中华人民共和国劳动合同法》对竞业限制经济补偿的给付，并没有严格限定在货币支付，因此经常出现双方约定以发放股票或者股票期权作为竞业限制经济补偿，对此应做何种认定?

首先，既然法律对竞业限制经济补偿的形式未作禁止性规定，则以股票、股票期权等非货币形式作为竞业限制经济补偿，并非绝对不可。

其次，需要强调的是，《中华人民共和国劳动合同法》是兼具公法性质的社会法，且由于在劳动关系中劳动者处于弱势的受支配地位，故为了保护劳动者的合法权益，限制用人单位的行为界限，《中华人民共和国劳动合同法》的很多条文对于用人单位来说都是强制性规定。《中华人民共和国劳动合同法》第二十三条第二款即这样的条款，它意味着约定以股票、股票期权等作为竞业限制经济补偿，要受该规定的规制。

最后，具体规制标准可以是：当补偿给付方式的约定较之上述强制性规定对劳动者更为有利时，则没有必要否定其效力；如果该约定较之上述强制性规定显得对劳动者不利，且劳动者亦提出该主张，则从保护劳动者生存的角度出发，可将该约定评价为无效。

接下来先讨论以股票期权作为竞业限制经济补偿的约定。所谓股票期权，一般是指买方交付期权费后即取得在合约规定的到期日或到期日以前按协议价买入一定数量相关股票的权利。是否行权，很大程度上取决于在约定的行权期间，股票价格与购买期权价格之间是否存在盈利空间，而这是约定竞业限制条款时难以确定的。尤其像本案中的行权标的公司并未公开上市，其股权并不存在一个各方接受的、确定的交易价格，高某能否因行权而盈利、盈利能否达到法定的补偿最低标准都是难以确定的。并且，因未公开上市，该股票期权无法像货币一样随时兑现，欠缺流动性。如果按照双方的约定，则相对于法律的强制性规定，对劳动者较为不利。因此，可以根据劳动者的具体请求认定相关约定无效。

对于约定以上市公司的股票作为经济补偿的，则要区分不同类型进行分析。其一，对于可以随时上市流通的普通股票，其具备以货币形式给付补偿的大多数优点，如金额相对确定，可以随时变现。因此，如果约定在员工离职时一次性授予其普通股票，或者在员工离职后，按月授予其普通股票，则该给付模式在多方面都符合支付竞业限制经济补偿的要求，应属有效的约定。其二，对于附限售期的股票，其在限售期内无法及时变现，也不能按月兑现，而且《最高人民法院关于审理劳动争议案件适用法律问题的解释（一）》第三十八条规定，劳动合同解除或者终止后，因用人单位的原因导致三个月未支付经济补偿，劳动者有权请求解除竞业限制约定。是故，附限售期的股票不宜作为给付竞业限制经济补偿的方式。至于非上市公司的股票，因其估价的不确定性、兑现的困难性，也不宜作为竞业限制补偿的方式。

编写人：北京市第一中级人民法院　吴博文

38

竞业限制范围的合理性审查

——A 医疗器械公司诉宋某劳动争议案

【案件基本信息】

1. 裁判书字号

北京市第三中级人民法院（2021）京 03 民终 14055 号民事判决书

2. 案由：劳动争议纠纷

3. 当事人

原告（上诉人）：A 医疗器械公司

被告（被上诉人）：宋某

【基本案情】

宋某于 2014 年 5 月 12 日入职 A 医疗器械公司，担任中国区总经理，双方签订了《劳动合同》，该合同第 38 条竞业限制义务约定，在双方劳动关系解除或终止时（无论因何种原因），宋某（乙方）将受到竞业限制义务的约束，竞业限制的范围涉及 A 医疗器械公司（甲方）和 A 集团的全部业务领域，包括但不限于：口腔种植体、牙医学领域的骨骼和软组织再生、牙医实验设备、牙医 CAD/CAM 技术和相关种植假体修复。乙方不得从事任何与甲方和 A 集团竞争的活动。尤其是，乙方不得自营任何与甲方或任何属于 A 集团的公司有竞争关系的企业，乙方也不得以任何方式为该等企业服务，或者成为该等企业的股东。本合同约定的竞业限制的地域范围为中国。

宋某于 2018 年 12 月 31 日离职，A 医疗器械公司向宋某送达《关于履行竞业限制的通知函》，要求宋某在竞业限制期内按照劳动合同的约定履行相关竞业限制义务，并强调：在未取得公司事先书面许可前，不得在中国直接或间接任职于与公司及/或任一家A集团所属公司相似或存在竞争业务关系的企业，上述企业的经营范围包括但不限于口腔种植体等。A医疗器械公司于2019年1月向宋某支付了竞业限制补偿金142633.33元。后宋某入职注册在新加坡的B医疗器械公司，担任该公司南亚及环太平洋地区的总经理。

A医疗器械公司认为，B医疗器械公司系B科技公司的子公司，产品包括口腔内扫描仪等，因此B医疗器械公司、B科技公司的主要经营范围已经落入A医疗器械公司与宋某签署的《劳动合同》项下约定的竞业范围，宋某的行为违反了其所负有的竞业限制义务。A医疗器械公司向宋某送达《违反竞业限制的通知函》，要求宋某：1. 立即终止在B医疗器械公司的任职，并停止从事竞争性业务；2. 继续履行《劳动合同》所约定的竞业限制义务。宋某主张其未违反竞业限制义务，B医疗器械公司与A医疗器械公司的业务范围不存在重合，亦未落入A医疗器械公司主张的竞业范围。对此，B医疗器械公司为宋某出具《在职证明》，载明："宋某加入该公司担任南亚及环太平洋地区的牙科全科总经理。宋某的职责包括：向高级副总裁、总经理汇报，制定并执行策略，发展B科技公司在南亚及环太平洋地区的一般牙科渠道。前述区域不含中国。"

后A医疗器械公司以宋某为被申请人向北京市劳动人事争议仲裁委员会申请仲裁，要求：1. 支付违反竞业限制义务的违约金1711599.96元；2. 继续履行竞业限制义务。2019年9月18日，北京市劳动人事争议仲裁委员会作出仲裁裁决：宋某继续履行竞业限制义务；驳回A医疗器械公司的其他仲裁请求。A医疗器械公司不服仲裁裁决，诉至法院。

【案件焦点】

1. 双方约定的竞业限制条款是否违反法律规定；2. 宋某新加入公司所从事的业务与A医疗器械公司业务是否有竞争关系；3. 宋某在新公司中负责的区域是否包括中国。

【法院裁判要旨】

北京市朝阳区人民法院经审理认为：A 医疗器械公司提交的《劳动合同》对竞业限制的范围、地域、期限进行了约定，但关于范围的约定扩大至 A 集团的全部业务领域，违反相关法律规定。该公司主张其与 B 科技公司的主要经营范围存在重合与竞争关系，但宋某入职的系注册在新加坡的子公司，其负责的区域亦不包括竞业限制约定的中国，故 A 医疗器械公司以此认定宋某存在违反竞业限制约定的情形，明显不妥。另，现有证据显示宋某于 2018 年 12 月 31 日离职，而 A 医疗器械公司的“牙齿正畸”类业务于 2019 年中才陆续开展，不能证明宋某存在违反竞业限制约定的行为。综上，A 医疗器械公司主张宋某给付违约金的请求，不予支持。

北京市朝阳区人民法院依照《中华人民共和国劳动合同法》第三条、《中华人民共和国民事诉讼法》第六十四条第一款、《最高人民法院关于适用〈中华人民共和国民事诉讼法〉的解释》第九十条规定，判决如下：

驳回 A 医疗器械公司的诉讼请求。

A 医疗器械公司不服，提起上诉。北京市第三中级人民法院经审理认为：第一，双方约定的竞业限制条款是否违反法律规定。竞业限制只能限制员工的择业权，而不能剥夺其就业权，即竞业限制不能涉及员工的就业生存权利。A 医疗器械公司注册地在北京市，经营业务具有一定区域性、行业性特点，但双方《劳动合同》对宋某竞业限制业务范围的约定，扩大至 A 集团所有公司的全部业务领域，违反相关法律规定。第二，宋某新加入公司从事的业务与 A 医疗器械公司业务是否有竞争关系。宋某于 2018 年 12 月 31 日离职，A 医疗器械公司主张其“牙齿正畸”类业务于 2018 年即在筹备阶段，宋某离职前已深度参与 A 医疗器械公司开展的牙齿正畸、矫治项目，但该公司提交的相关证据系第三方出具的报告，且仅笼统提及此事，故对该公司此主张不予采信。第三，宋某新加入公司所负责区域是否包括中国。A 医疗器械公司主张宋某在 B 医疗器械公司负责范围包括中国，但其不能仅从常理推断而不提供相关证据予以证明。一审法院认定宋某在新入职公司负责的工作区域不包括竞业限制区域，具有事实及法律依据。

北京市第三中级人民法院依照《中华人民共和国民事诉讼法》第一百七十条第一款第一项之规定，判决如下：

驳回上诉，维持原判。

【法官后语】

经营权与劳动权的冲突，是竞业限制制度所面临的核心问题，也是难题之一。若竞业限制约定的内容过于强调对用人单位商业秘密以及其他竞争利益的保护，则会限制劳动者离职后的自由择业权以及生存权，但若对劳动者的保护背离了权利平等的原则，则会导致经营权的保障难以落实。因此，经营权与劳动权之冲突是竞业限制制度下需要综合平衡的命题。

本案中，A医疗器械公司与宋某签订的《劳动合同》对竞业限制范围、地域进行了约定，但竞业限制的范围扩大至A集团的全部业务领域，亦将宋某入职的B医疗器械公司的母公司B科技公司的经营范围囊括在A医疗器械公司主张的存在竞争关系的业务范围内，明显扩大了竞业限制的业务范围，影响到劳动者的劳动权，应属无效。对竞业限制范围的合理性审查，成为判断竞业限制条款效力的重要标准。笔者认为，可从以下几个方面对竞业限制条款合理性进行审查：

一是经营/行业范围限制标准。此标准的判断核心为新旧两家用人单位及劳动者所从事的行业是否构成实际竞争关系，一般从以下几点进行考量：(1) 新旧用人单位的工商登记信息显示的经营范围是否重叠，此为判断竞业限制的初步标准，亦为司法实践中首要审查的事项。(2) 竞业限制协议中是否对竞争企业进行了列明，实践中，用人单位为保证劳动者不进入竞争对手的单位，有可能在协议中列明竞争对手，此时应尊重双方当事人的相关约定。(3) 新旧两个用人单位的实际经营内容、客户群体等情况是否一致。如果前述工商登记信息的审查为初步审查，则实际经营内容、客户群体的审查为实质审查，应更加实际、具体、灵活地根据双方的举证情况，对是否存在竞争关系进行综合判断。

二是地域范围限制标准。竞业限制范围应当以能够与用人单位形成竞争关系的地域为限，而地域限制标准的判断核心为用人单位经营事业的竞争力、影响力的确定。一般从以下几点进行考量：（1）用人单位是否属于区域性经营的企业。如为区域性经营企业，则应将地域范围约定在本经济区域内，而非“全国”甚至“全球”范围。（2）以现有业务经营范围为准。竞业限制的地域范围应当以现有的业务经营范围为准。对于将来的业务经营范围，不应当纳入地域限制范围，亦不能在竞业限制条款中做宽泛、不明的约定。

总之，竞业限制条款的约定，既要保护用人单位的商业秘密等合法权益，又要防止因不当扩大竞业限制范围从而妨碍劳动者的劳动权，而在进行合理性审查的过程中，则需树立平等保护的理念，避免绝对的契约自由或者单方面的倾斜保护，同时还应考虑合理地限制竞争、禁止权利滥用等相关原则的平衡以及社会公共利益的实现。

编写人：北京市朝阳区人民法院　李军

39

竞业限制协议的适用主体范围界定及违约救济

——A电器公司诉张某竞业限制案

【案件基本信息】

1. 裁判书字号

江苏省苏州市中级人民法院（2021）苏05民终571号民事判决书

2. 案由：竞业限制纠纷

3. 当事人

原告（被上诉人）：A电器公司

被告（上诉人）：张某

第三人：B电器公司

【基本案情】

A电器公司生产的吸尘器产品畅销国内外市场，具有一定的市场规模。2010年7月15日，原告A电器公司与被告张某签订《劳动合同书》，约定张某从事研发工作，劳动合同期限为4年。入职时，张某作为乙方与甲方A电器公司签署《保密协议》，约定：自乙方离开甲方之后，乙方仍有义务按本协议的约定保守甲方的商业秘密。且乙方有义务按禁止同业竞争的约定或承诺不从事与甲方经营业务相同或相似的工作。乙方违反本协议确定的义务，应当向甲方支付违约金，但合同未写明违约金金额。

2014年6月20日，双方续订劳动合同，约定：张某继续从事研发工作，劳动合同期限自2014年7月15日起至2019年7月14日止；因乙方工作涉及甲方商业秘密和与知识产权相关的保密事项，双方可以签订保守商业秘密协议或竞业限制协议作为合同附件。

在职期间，A电器公司每月向张某提供薪资单，薪资单显示“应发工资”项目中包含“竞业补偿”一项，并载明“如对工资有异议，请在发薪日起十天内向公司人力资源部书面提出，过期无异议表示认可”。张某在职期间未对薪资单提出过异议。根据薪资单，在职期间已发放竞业补偿合计98700元，被告离职前12个月平均工资9772.83元。

2019年3月1日，张某申请离职。同日，A电器公司发出离职告知书，告知双方签订了《保密协议》及《竞业限制合同》，工资单亦标明竞业补偿金，张某有义务遵守保密约定、履行竞业限制的义务。张某也签署《承诺书》，其确认A电器公司已依法按合同及公司规定支付本人所有薪金、社保、福利等全部相关费用，对此无任何异议，在另行择业时将遵守所签竞业协议。

2019年3月1日，张某申请离职。后其入职B电器公司处，从事设计工作。B电器公司在网站上宣传的产品包括无线吸尘器、吹风机、电机，制造商地址显示为第三人B电器公司现住所地。

随后，A电器公司发现张某等19名员工在短期内相继离职并入职B电器公司，遂提起劳动仲裁。后因其不服劳动仲裁裁决，遂以19名离职员工违反竞业限制义务为由诉至法院，要求员工自 B 电器公司处离职并支付违约金，其中包括张某。

【案件焦点】

1. 竞业限制条款约定的对象范围；2. 竞业限制条款约定违约金不明确时的处理规则。

【法院裁判要旨】

江苏省苏州市虎丘区人民法院经审理认为：用人单位与劳动者可以在劳动合同中约定保守用人单位的商业秘密和与知识产权相关的保密事项。对负有保密义务的劳动者，用人单位可以在劳动合同或者保密协议中与劳动者约定竞业限制条款。用人单位与负有保密义务的劳动者约定了竞业限制条款，并在劳动关系存续期间先行给付了合同约定且不低于法定标准的经济补偿，劳动合同解除或终止后，劳动者请求确认该竞业限制条款无效的，不予支持。劳动者违反竞业限制约定的，用人单位有权按照约定要求劳动者承担违约金并继续履行竞业限制义务。

张某离职前作为 A 电器公司的技术人员，其知悉并且掌握 A 电器公司的商业秘密信息，属劳动法上负有保密义务的人员，A 电器公司可以与其就竞业限制问题进行约定，同时给予张某一定经济补偿。现涉案的劳动合同、竞业限制合同、保密协议及重要员工承诺函等多份文件材料均反映有竞业限制的内容，张某也均签字确认，故竞业限制义务的设定清楚、明确，是双方真实意思表示，且不违反法律的规定，应当依法认定双方之间存在合法有效的竞业限制约定。

根据原告提供的工商档案信息等证据相互印证，可以证明第三人从事吸尘器、电机的研发、生产和销售业务，且关联案件中邱某某在仲裁时对第三人从事吸尘器研发的事实亦表示认可，故法院认定第三人属于与原告 A 电器公司有竞争关系的企业。现被告自原告处离职的当月即至第三人处工作，被告的行为已构成违约，原告有权要求其继续履行竞业限制义务，并赔偿违约金。违约金金额没有明确约定的则要综合考虑竞业限制补偿金的数额、劳动者违约行为的情节、给用人单位带来的实际损失、劳动者非法获益等多种因素，还应当适度体现对劳动者违约行为的惩罚性。

江苏省苏州市虎丘区人民法院依照《中华人民共和国劳动合同法》第二十三条、《最高人民法院关于审理劳动争议案件适用法律若干问题的解释（四）》第十条、《中华人民共和国民事诉讼法》第六十四条的规定，判决如下：

一、被告张某于本判决生效之日起十日内向原告A电器公司支付违约金315000元；

二、被告张某继续履行竞业限制义务至2021年3月1日；

三、驳回原告A电器公司的其余诉讼请求。

二审法院同意一审法院裁判意见。

【法官后语】

保护商业秘密是维持企业核心竞争力的必要举措，是优化社会营商环境、促进公平竞争的必然保障。劳动法构建竞业限制制度的主要目的之一则是在劳动关系层面上保护企业的商业秘密权，但竞业限制制度却有可能与劳动者的自由择业权相冲突。因此，司法审判需要站在劳动双方利益平衡的角度，合理界定竞业限制范围。《中华人民共和国劳动合同法》第二十四条第一款对竞业限制适用人员的规定采用概括加列举的方式，将“高级管理人员”“高级技术人员”作为列举项，以“其他负有保密义务的人员”作为一般条款。“其他负有保密义务的人员”作为兜底性规定应当如何适用在实践中存在争议，做法不一。一方面，我们不能把劳动者在劳动关系存续期间掌握的知识、技能、人脉、经验等均纳入保密义务范畴，否则就会造成竞业限制义务的泛化；另一方面，“高级管理人员”“高级技术人员”以外的普通劳动者亦有可能掌握事关企业核心竞争力的商业秘密信息以及与知识产权有关的其他信息，不对此加以保护则有可能影响市场的公平竞争。

笔者认为，要将某项信息作为“保密义务”范畴，其必须具备以下条件：（1）该信息不为公众所知悉；（2）该信息具有一定的经济价值。通常而言，普通劳动者作为竞业限制的义务主体应限定为知悉商业秘密或者其他知识产权相关信息的劳动者。本案中，张某离职前作为A电器公司的研发技术人员，其知悉并且掌握A电器公司的商业秘密信息或者其他知识产权相关信息。故张某应属劳动法上负有保密义务的人员，A电器公司可以与其就竞业限制问题进行约定。

本案的特殊之处还在于两个方面：第一，在合同没有明确约定违约金数额的情况下，法院是否应当支持用人单位的赔偿请求；第二，法院在计算违约金时应当参考哪些因素。

在传统的民事合同当中，违约金具有预定性和约定性两大关键性特征。所谓预定性是指违约金通常事先确定，而约定性体现为双方对违约金如何计算达成了一致意思表示。而在劳动合同中，则需要根据劳动合同的特点作出一定的突破解释。若用人单位已经支付了竞业限制补偿金，仅因合同没有明确约定违约金数额而否定劳动者的赔偿责任则显失公平，也不符合立法关于守约方损失填补规则的要求。用人单位已经支付了竞业限制补偿金，在劳动者接受的情况下，表明双方已通过默示的方式达成了一致的意思表示。基于权利义务对等原则，劳动者应当履行竞业限制义务。劳动者违反竞业限制约定，则需要承担违约责任。在合同没有约定违约金的具体计算时，法院可以参照竞业限制补偿金的数额、劳动者违约行为的情节、给用人单位带来的实际损失、劳动者非法获益等多种因素并适度体现对劳动者违约行为的惩罚性酌情计算。违约行为的情节包括违约方的主观恶性程度、违约行为的持续时间，对守约方损失的可预见程度等，根据诚实信用原则综合判断。用人单位实际损失包括其直接损失、间接损失以及可得利益损失。

编写人：江苏省苏州市虎丘区人民法院　龚春华　马佳骏

40

劳动者单方解除竞业限制约定的认定标准

——甲棋艺培训中心诉何某竞业限制案

【案件基本信息】

1. 裁判书字号

福建省莆田市中级人民法院（2021）闽03民终265号民事判决书

2. 案由：竞业限制纠纷

3. 当事人

原告（被上诉人）：甲棋艺培训中心

被告（上诉人）：何某

【基本案情】

甲棋艺培训中心是经营棋艺信息咨询服务的个体工商户。2019年2月22日，甲棋艺培训中心（甲方）与何某（乙方）签订《劳动合同书》，主要约定：劳动合同期限为3年，自2019年2月22日起至2022年2月21日止；甲方聘用乙方主要从事象棋教学工作；合同终止后乙方三年之内不能在福建省内（包括莆田市）设点开班招生；乙方第一年年薪10万元，第二年年薪15万元，第三年年薪16万元；本合同履行期间及合同终止之后的3年内，乙方不得将甲方公司的商业机密包括但不限于运营模式、学生资料信息、学生收费标准、薪资等透露给任何第三方，也不得利用公司商业秘密实施任何有损于公司利益的行为，否则需支付违约金给甲方公司，约定赔偿金额为10万元；甲方公司发现乙方有以上兼职行为，有权单方解除本劳动合同，并可要求乙方支付违约金2万元；乙方如利用公司资源私下为客户提供商业服务，所获得利益为公司收益，公司有权要求乙方交回公司，并可要求乙方向甲方赔偿损失10万元。

2019年10月8日，何某以“家里有急事，需要一段时间处理”为由向甲棋艺培训中心提交《辞职报告》，但之后又回到甲棋艺培训中心工作。2020年5月26日，何某以“双方无法就今年薪酬标准达成一致”为由向甲棋艺培训中心提出辞职，双方解除劳动合同关系。同日，甲棋艺培训中心向何某支付工资、押金15300元，何某出具《收条》。

之后，何某创办乙棋艺学院，在莆田市荔城区设点招生，于2020年7月18日开始试营业。原在甲棋艺培训中心处的学生黄某、林某、高某转至何某处学习象棋。2020年7月20日，甲棋艺培训中心就本案诉求向莆田市荔城区劳动人事争议仲裁委员会申请仲裁。莆田市荔城区劳动人事争议仲裁委员会于2020年7月23日以“申请人与被申请人在劳动合同中未约定竞业限制条款，不属于劳动争议处理范畴”为由作出《不予受理案件通知书》。后甲棋艺培训中心诉至法院。

【案件焦点】

1. 在双方未约定竞业限制经济补偿金及甲棋艺培训中心未支付竞业限制经济补偿的情况下，竞业限制条款的效力如何认定；2. 甲棋艺培训中心未支付竞业限制经济补偿，何某是否已经以行为单方解除竞业限制约定，其从事竞业限制行为是否构成违约。

【法院裁判要旨】

福建省莆田市荔城区人民法院经审理认为：竞业限制经济补偿金条款的缺失及用人单位未履行支付经济补偿金的情形并不必然导致竞业限制协议无效。何某作为象棋老师，能够掌握学员信息、运营模式等对甲棋艺培训中心业务经营具有重大影响的资料。《劳动合同书》中约定了竞业限制条款，系双方的真实意思表示，合法有效。何某在离职后两个月内即在莆田市内开班招生，且已有三名学生转至其开设的培训班，已违反竞业限制约定，应承担违约责任。因甲棋艺培训中心为莆田市个体工商户，其主张竞业限制范围为福建省，范围过广，故依法调整为何某自离职起两年内不得在莆田市内设点开班。因甲棋艺培训中心未举证具体损失，结合何某的违约程度、时间、工资情况等因素，酌情调整违约金为3万元。

福建省莆田市荔城区人民法院依照《中华人民共和国劳动合同法》第二十三条、第二十四条，《最高人民法院关于审理劳动争议案件适用法律若干问题的解释（四）》第六条、第八条、第十条，《最高人民法院关于适用〈中华人民共和国民事诉讼法〉的解释》第九十条、第九十二条第一款规定，作出如下判决：

一、何某应于判决生效之日起十日内向甲棋艺培训中心支付违反劳动合同约定的竞业限制条款违约金3万元；

二、何某继续履行其与甲棋艺培训中心于2019年2月22日签订的《劳动合同书》中约定的竞业限制义务和保密义务（自双方解除劳动关系之日即2020年5月26日起二年，竞业限制范围为福建省莆田市内）；

三、驳回甲棋艺培训中心的其他诉讼请求。

二审法院同意一审法院裁判意见。

【法官后语】

近年来，竞业限制作为经济主体保护自身商业秘密及维持市场竞争力的重要手段，在实践中的运用愈加广泛。司法实践中，用人单位与劳动者约定了竞业限制条款但未约定经济补偿，或约定了经济补偿但未按约定支付的情况较为普遍。劳动者何时可以其行为解除竞业限制约定，需要准确把握《最高人民法院关于审理劳动争议案件适用法律问题的解释（一）》第三十八条的规定。该条文赋予了劳动者单方解除竞业限制约定的权利，但也规定了相应的前提条件。正确理解该条文，对于审理裁判该类案件具有重要的指导意义。

第一，对“竞业限制约定”的理解。用人单位与劳动者必须存在竞业限制约定，否则不存在劳动者解除竞业限制约定请求的前提。值得注意的是，司法解释中明确规定，该竞业限制约定条款必须同时明确约定了“经济补偿”这一要素，此后因用人单位的原因导致三个月未支付经济补偿金的，劳动者才能请求解除竞业限制约定。

第二，对“因用人单位原因”的理解。未支付竞业限制经济补偿，必须是基于用人单位的原因，劳动者才能享有解除权。这里的“用人单位的原因”既包括用人单位主观不愿，也包括用人单位客观不能。如果是因为劳动者自身原因导致用人单位未能支付经济补偿的，则不能运用上述司法解释规定来请求解除竞业限制约定。

第三，对“三个月”的理解。根据《中华人民共和国劳动合同法》第二十三条第二款规定，在竞业限制期限内用人单位应按月给予劳动者经济补偿。可见，法律倡导的是用人单位逐月给付经济补偿。用人单位未按月向劳动者支付经济补偿的，应被视为迟延履行债务，故而该条文中的“三个月”不仅指用人单位连续三个月不支付经济补偿，还应包括用人单位支付经济补偿时断时续，但累计满三个月未支付的情形。

第四，对“未支付”的理解。“未支付”应包括“分文未付”和“未足额支付”。受竞业限制义务影响，劳动者在一定时间内可能无法从事合适的工作以获得理想收入。用人单位在长达三个月时间内未能足额支付经济补偿，可能影响到劳动者的生存发展权，可推定其存在严重违约行为，此时劳动者有权请求解除竞业限制约定。

本案双方虽有约定竞业限制条款，但未明确约定经济补偿，不符合“当事人在劳动合同或者保密协议中约定了竞业限制和经济补偿”的前提条件。因双方对经济补偿金额尚未作出协商和确定，用人单位未及时支付经济补偿并不能完全归责于“用人单位原因”，且何某在离职后两个月内即从事竞业行为，甲棋艺培训中心在发现后立即申请劳动仲裁主张权利，当时尚未达到“三个月”未支付经济补偿的条件，何某单方解除竞业限制约定的前提条件尚未成就。即便甲棋艺培训中心未支付经济补偿的行为在诉讼过程中延续至超过三个月，但因其他要件未满足，何某仍不能以其行为解除该义务。因此，只有何某在履行竞业限制义务并依法确定经济补偿金额后，因甲棋艺培训中心原因导致三个月未支付经济补偿的，何某才可以其行为解除竞业限制约定。

编写人：福建省莆田市荔城区人民法院　詹晶晶

41

劳动者申请对约定过高的违反竞业限制违约金进行调整应予支持

——甲公司诉高某劳动争议案

【案件基本信息】

1. 裁判书字号

北京市第二中级人民法院（2021）京 02 民终 15092 号民事判决书

2. 案由：劳动争议纠纷

3. 当事人

原告（反诉被告、上诉人）：甲公司

被告（反诉原告、上诉人）：高某

【基本案情】

高某在甲公司先后任销售代表、销售工程师、销售经理。离职前其月工资为 20000 元。工作内容为销售钢结构外螺纹钉、电气接地系统等产品。双方在《劳动合同书》中约定了竞业限制条款：如高某违反竞业限制义务，甲公司有权立即停止向高某支付竞业限制补偿金剩余部分，并有权要求高某返还已收到的竞业限制补偿金及相关利息，同时高某应当向甲公司支付违约金，该违约金为高某离职前 12 个月在职总收入的两倍。

2020 年 5 月 1 日，高某与甲公司协商一致解除劳动关系。同日，双方签订《竞业限制补充协议》，约定每月的竞业限制补偿金按劳动合同解除或终止前 12 个月高某的月平均工资的 40%计算，甲公司于 2020 年 5 月底一次性支付 18 个月的竞业限制补偿金。如高某违反竞业限制约定，应一次性向甲公司支付违约金，违约金的标准为公司按协议约定应支付竞业限制补偿金总和的 5 倍。之后，甲公司按约支付高某竞业限制补偿金。

2020 年 10 月 30 日，甲公司向北京市东城区劳动争议仲裁委员会申请仲裁，该委裁决：一、高某一次性返还甲公司竞业限制补偿金 130766.32 元；二、高某一次性支付甲公司违约金 722160 元；三、驳回甲公司的其他仲裁请求。裁决后，双方不服裁决结果，均向法院提起诉讼。

诉讼中，甲公司主张高某在竞业限制期内入职与甲公司经营同类产品的乙公司，销售同类或相似的产品。甲公司为证明其主张提供了《公证书》2 份。具体内容为高某在微信朋友圈中推销乙公司产品，证明高某为乙公司提供服务，存在违反竞业限制规定的行为。甲公司要求高某返还公司已支付的竞业限制补偿金及相关利息，同时按竞业限制补偿金总和的 5 倍支付违约金。

高某否认其存在违反竞业限制规定的行为，主张其自甲公司离职后，并未入职乙公司，而是入职了与甲公司无关的建筑公司从事建筑工程施工行业，并提交了劳动合同、社保证明、工资表及考勤表等。甲公司称高某只是通过该公司代缴社保，不能否认其为乙公司提供服务的事实。高某主张其不具备竞业限制人员主体资格，即使支付违约金，甲公司也没有证据证明存在任何损失，违约金明显过高。

【案件焦点】

1. 高某是否属于竞业限制的人员范围；2. 高某是否存在违反竞业限制义务的行为；3. 甲公司在《竞业限制补充协议》中约定的违约金是否过高。

【法院裁判要旨】

北京市东城区人民法院经审理认为：关于争议焦点一，高某主要从事甲公司核心产品的销售和推介，对于核心产品无论是技术还是销售渠道都非常了解，且高某从事此项工作较久，对于公司的经营秘密均有接触，应属于负有保密义务的人员，甲公司可与高某签订竞业限制协议。关于争议焦点二，根据双方的约定，高某离职后不得到具有竞争关系的企业提供任何形式的咨询服务、代理、合作或劳务，并不局限于与竞争关系企业建立劳动关系。双方均认可甲公司与乙公司所销售的产品为同一类海洋工业配套装备，属于存在竞争关系的企业。甲公司提交的证据足以证明高某在为乙公司提供服务，并且服务内容明显与甲公司存在竞争关系。因此高某已经违反了竞业限制的约定，应依约承担违约金。关于争议焦点三，双方在《竞业限制补充协议》中约定违约金的标准为竞业限制补偿金总和的5倍，但高某提出违约金约定过高，并且甲公司也未提交证据证明存在损失。违约金具有补偿功能，当一方存在违约情形时，通常由违约方通过承担违约金赔偿责任对守约方所受损失进行补偿。但是在竞业限制约定中，一旦劳动者违反竞业限制约定，用人单位的商业秘密等保密事项即已泄露，一般无法挽回，因此竞业限制中的违约金兼具惩罚性，这种惩罚性考虑到了用人单位损失的不可预估性。但应当考虑到，劳动者在劳动关系中处于弱势地位，其偿付能力有限，违约金的约定也应考虑劳动者的工资收入、对损失的可预知性等因素。本案中，高某离职前月工资为2万元，离职后甲公司支付的月补偿金为8024元，按照十八个月的竞业限制期核算，违约金明显超过正常工资收入，另外违约金的基本功能在于填补损失，甲公司主张高某损害了公司的经营秘密，给公司造成了损失，但是并未提供证据证明高某实际是否泄露了交易信息、侵犯何种商业秘密，也没有提供证据证明具体的损失数额，因此甲公司主张的违约金明显过高，综合甲公司支付的竞业限制补偿金金额、高某的违约程度、工资收入、损失范围等因素酌情确定高某应承担的违约金数额。

北京市东城区人民法院依照《中华人民共和国劳动合同法》第二十三条、第二十四条，《最高人民法院关于审理劳动争议案件适用法律问题的解释（一）》第四十条规定，判决如下：

一、确认高某违反《劳动合同》及《竞争限制补充协议》约定的竞业限制义务；

二、自本判决生效之日起七日内，高某返还甲公司已付的一次性竞业限制经济补偿金130766.32元；

三、自本判决生效之日起七日内，高某支付甲公司违约金288864元；

四、高某继续履行竞业限制义务至2021年10月31日；

五、驳回甲公司的其他诉讼请求；

六、驳回高某的其他诉讼请求。

二审法院同意一审法院裁判意见。

【法官后语】

《中华人民共和国劳动合同法》第二十三条规定，劳动者违反竞业限制约定的，应当按照约定向用人单位支付违约金。司法实践中，当劳动者提出约定的竞业限制违约金过高，请求予以酌减时，法院能否对违约金予以酌减，审判实践中存在以下两种观点：

第一种观点认为，基于意思自治原则，法院不应对竞业限制违约金予以酌减。现行劳动法律法规中并未规定法院有权调整竞业限制违约金，且竞业限制义务源于用人单位与劳动者之间的约定，违约金的金额亦属于双方约定范畴，应当尊重双方意思自治。

第二种观点认为，基于公平原则，法院可以对竞业限制违约金的合理性进行审查并对明显过高的违约金予以酌减。虽然劳动法律法规中并未规定法院有权调整竞业限制违约金，但《中华人民共和国民法典》及相关司法解释中对其他合同的违约金酌减有明确规定，可以参照适用。

本案中，法院生效裁判采纳了第二种观点。具体理由如下：

1. 法院可以调整竞业限制协议中约定的违约金

契约自由以契约双方主体地位平等为前提，而劳动关系中的劳动者与用人单位之间具有从属性特征，导致双方在签订竞业限制协议时可能存在地位不对等的情况。虽然竞业限制义务源于用人单位与劳动者之间的约定，竞业限制的人员是“用人单位的高级管理人员、高级技术人员和其他负有保密义务的人员”，该类人员相较于普通劳动者而言具有一定的议价能力，但劳动关系的本质特征“隶属性”“管理性”并未因此消减。并且，受市场上劳动力供求关系、劳动者个人议价能力等因素的影响，劳动者在与用人单位协商约定竞业限制的具体内容时，往往处于劣势地位。因此，对于竞业限制协议，不应以意思自治为由完全排除司法的合理干预。

竞业限制约定实质上是用人单位以支付经济补偿为对价而有针对性地限制劳动者的择业自由，以达到保护用人单位商业秘密等目的。关于竞业限制违约金，相关劳动法律法规中并未作出数额方面的规定，一般由用人单位与劳动者自行协商确定。用人单位为了降低人力成本，威慑、防止或惩戒劳动者从事竞业行为，往往利用其优势地位，在约定较低的竞业限制补偿金的同时约定尽可能高的竞业限制违约金。

综上，为了避免用人单位滥用竞业限制制度，平衡劳动者与用人单位双方利益，法院确有必要在劳动者提出抗辩的情况下，对竞业限制违约金的合理性进行审查，对于“畸高”的竞业限制违约金作出调整。

2. 调整竞业限制违约金应考虑哪些因素

竞业限制的本质是保密制度，是以约定的形式将劳动者负有的保密义务延续至劳动关系消灭后的一段时间，防止与用人单位存在竞争关系的单位或个人通过“挖人”或自立门户获得不正当利益。因此，秘密与竞争构成竞业限制的两个核心要素，对这两个概念的解释决定了竞业限制的边界，在个案中体现为司法对其行为是否违反竞业限制的判断。如果劳动者违反竞业限制义务，势必会侵害用人单位的商业秘密，或者侵占用人单位的商业机会和渠道，给用人单位造成经营损失，因此双方约定的违约金首先应以补偿用人单位的损失为准。其次，违约金也是对劳动者违反竞业限制义务的一种惩罚，此种惩罚不能限于双方约定的竞业限制补偿金标准，应高于竞争限制补偿金。

对司法实践中竞业限制违约金是否过高的合理性审查，参照《中华人民共和国民法典》第五百八十五条的规定，应以劳动者明确提出抗辩为前提。调整违约金时可以考虑以下因素：在商定竞业限制约定内容时劳动者的议价能力、是否事实上会限制或排除劳动者合同解除权、劳动者在职期间掌握的商业秘密的价值、劳动者离职时的工作岗位及收入水平、劳动者在职期间的长短、双方约定的竞业限制期间的长短以及劳动者自觉履行竞业限制义务的期间长短、竞业限制补偿金数额、劳动者的主观违约恶意及客观违约行为、劳动者的违约行为给用人单位造成的损失以及劳动者是否采取必要措施防止损失的进一步扩大等。

编写人：北京市东城区人民法院　李彦宏　张亚婷

42

劳动者与用人单位的关联公司所签竞业限制协议对用人单位之效力

——A 计算公司诉刘某劳动争议案

【案件基本信息】

1. 裁判书字号

北京市第一中级人民法院（2021）京 01 民终 5237 号民事判决书

2. 案由：劳动争议纠纷

3. 当事人

原告（被上诉人）：A 计算公司

被告（上诉人）：刘某

【基本案情】

刘某于 2014 年 9 月 1 日入职 A 计算公司从事销售工作，于 2020 年 1 月 31 日因个人原因离职，其离职前 12 个月平均工资是 104430 元。

2017 年 9 月 1 日，甲方 A 计算公司与乙方刘某签署《竞业禁止协议》，其中约定刘某的竞业限制期为 24 个月，从刘某离职后开始计算，A 计算公司应当在竞业限制期限内按月向刘某支付竞业限制补偿费，标准为劳动合同解除/终止前 12 个月的平均工资的 30%。刘某不履行本协议约定的竞业限制义务或相关陈述/保证/声明义务，应当承担违约责任，返还已经发放的竞业限制补偿费，并一次性向甲方支付违约金。

2020 年 1 月 31 日，甲方 A 科技公司（与 A 计算公司是关联公司关系）与乙方刘某签署《保密及竞业禁止协议的补充协议》，其中约定刘某的竞业限制期为 18 个月，A 科技公司给付刘某的补偿款为刘某上一年度月平均工资的 30%，即 31329 元，刘某不履行本协议第一条规定的竞业禁止义务，除退回已领取的全部竞业限制补偿费外，还应一次性向甲方支付在职期间月均收入 12 倍金额标准的违约金。

刘某自 A 计算公司离职后，为竞争公司 B 公司提供服务。A 计算公司认为刘某违反了双方签署的《竞业禁止协议》，应当返还竞业限制补偿金、支付违约金并赔偿损失。刘某主张其未违反竞业限制义务，即便认定其违反竞业限制义务，刘某与 A 科技公司签署的《保密及竞业禁止协议的补充协议》性质上属于对《竞业限制协议》的补充和变更，故其竞业限制义务亦应依据《保密及竞业禁止协议的补充协议》确定，进而确定刘某的竞业限制期限为 18 个月，由此其未违反竞业限制义务。A 计算公司为此向北京市海淀区劳动人事争议仲裁委员会提出申请，该委裁决对 A 计算公司的仲裁申请不予受理。A 计算公司不服裁决结果，于法定期限内提起诉讼。

【案件焦点】

用人单位的关联公司与劳动者签订竞业限制协议，该竞业限制协议对用人单位是否发生法律效力。

【法院裁判要旨】

北京市海淀区人民法院经审理认为：关于刘某与 A 计算公司之间竞业限制权利义务之约定，刘某虽主张应适用与 A 科技公司在 2020 年 1 月 31 日签订的《保密及竞业禁止协议的补充协议》，但 A 科技公司并未与刘某建立劳动关系，并非劳动合同法中可与劳动者约定竞业限制义务之主体，故法院以刘某与 A 计算公司签署的《竞业禁止协议》为依据审查双方关于竞业限制的权利义务。根据该协议约定，刘某在离职后 24 个月内负有竞业限制义务，若刘某不履行竞业限制义务则应承担违约责任，返还已经发放的竞业限制补偿费，并向A计算公司支付相当于竞业限制补偿费总额的违约金。证据证明刘某违反了竞业限制义务，应承担相应的违约责任。根据《竞业禁止协议》之约定，A计算公司要求刘某返还已经支付的竞业限制补偿金并继续履行竞业限制义务并无不当。

北京市海淀区人民法院依照《中华人民共和国劳动合同法》第二十四条之规定，作出如下判决：

一、刘某于判决生效之日起七日内向A计算公司返还竞业限制经济补偿金375948元（税前）；

二、刘某于判决生效之日起七日内向A计算公司支付违反竞业限制义务违约金751896元；

三、刘某依据《竞业禁止协议》之约定履行竞业限制义务；

四、驳回A计算公司的其他诉讼请求。

刘某不服一审判决，提起上诉。北京市第一中级人民法院经审理认为：本案争议焦点为《保密及竞业禁止协议的补充协议》是否对《竞业禁止协议》中相关条款，特别是竞业限制期限条款发生补充及变更的法律效力。对此，《保密及竞业禁止协议的补充协议》的签订主体系A科技公司与刘某，A科技公司与A计算公司分别具有独立的法人资格，《保密及竞业禁止协议的补充协议》中未约定对A计算公司与刘某之间签订的《竞业禁止协议》进行补充及变更，现亦无充分有效证据证明A计算公司实际履行了《保密及竞业禁止协议的补充协议》的内容，故刘某所持《保密及竞业禁止协议的补充协议》对《竞业禁止协议》相关条款进行补充及变更的主张，缺乏事实依据。一审法院依据《竞业禁止协议》认定刘某在离职后24个月对A计算公司负有竞业限制义务并无不当，二审法院予以确认。

现有证据能够证明刘某在离职后为B公司提供劳动或相关服务的行为，该公司与A计算公司具有竞争关系，故刘某违反了竞业限制义务，应依据《竞业禁止协议》返还竞业限制经济补偿金并支付违反竞业限制义务违约金。

综上所述，刘某的上诉请求不能成立，应予驳回；一审判决认定事实清楚，适用法律正确，应予维持。

北京市第一中级人民法院依照《中华人民共和国民事诉讼法》第一百七十条第一款第一项规定，作出如下判决：

驳回上诉，维持原判。

【法官后语】

1. 用人单位的关联公司与劳动者签订竞业限制协议的效力

应当先审查用人单位的关联公司与劳动者之间建立的法律关系。在关联公司之间存在混同用工、交叉轮换使用劳动者的情形下，用人单位的关联公司也可能被认定与劳动者之间存在劳动关系，此时，该单位即具备了用人单位的主体地位，与劳动者签订的竞业限制协议的效力可根据劳动法相关规定予以审查认定。

在用人单位的关联公司与劳动者不构成劳动关系的情形下，关联公司并非劳动法中可与劳动者约定竞业限制义务的主体，但双方签订的竞业限制协议并不当然无效，应依据《中华人民共和国民法典》关于合同效力的规定予以审查认定。笔者认为，劳动者确有可能因职务行为而知悉用人单位关联公司的商业秘密，并因此与关联公司约定负有保密义务或竞业限制义务，对此，应尊重当事人的真实意思表示。但审查中，应着重审查是否具有重大误解和显失公平的情形，保护当事人的撤销权。

2. 用人单位的关联公司与劳动者签订的竞业限制协议，效力是否及于用人单位

笔者认为，关联公司之间具有相互独立的主体地位，故用人单位的关联公司与劳动者签订的竞业限制协议，原则上效力不及于用人单位，但以下情形除外。

一是用人单位及关联公司人格混同。劳动者主张用人单位及关联公司人格混同的，应当举证证明二者之间存在财产混同、业务混同和人事混同。在案证据能够证明用人单位及关联公司人格混同的，关联公司因签订竞业限制协议而负有合同义务，劳动者可主张用人单位和关联公司承担连带责任。

二是用人单位及关联公司混同用工。不同于法人人格混同，用人单位和关联公司之间可能存在一定程度的人事混同，即存在交叉轮换使用劳动者的情形，但不存在财产混同和业务混同，或者劳动者难以举证证明存在上述混同。只要劳动者能够证明在劳动关系存续期间，基于劳动权利义务的分配和履行，用人单位和关联公司对其存在混同用工，那么二者在劳动关系中的意思表示，效力均及于另一主体，劳动者可主张其中一方承担责任，或由多家单位依法律规定或者当事人约定承担连带责任。

编写人：北京市第一中级人民法院　王丽蕊　高愉祥

六、社会保险

43

非基于同一法律关系的诉请应当另案处理

——吴某诉建筑劳务公司、工程公司工伤保险待遇案

【案件基本信息】

1. 裁判书字号

北京市第三中级人民法院（2021）京03民终5888号民事判决书

2. 案由：工伤保险待遇纠纷

3. 当事人

原告（上诉人）：吴某

被告（被上诉人）：建筑劳务公司、工程公司

【基本案情】

2016年4月15日，工程公司将某工程劳务发包给建筑劳务公司。2018年10月3日，吴某入职建筑劳务公司，在该工程从事木工工作；同月8日，吴某在工作中受伤，先后在多家医院进行医疗、康复。其中，2019年6月28日至2020年5月25日期间，吴某在甲医院住院康复合计332天，共计产生康复费用187681元。

2019年6月11日，吴某所受事故伤害被行政主管部门认定属于工伤，同

日，吴某领取工伤康复申请表（需申请人填写后，加盖用人单位公章、康复机构公章后方可进行康复治疗。其中，建筑劳务公司于 2019 年 10 月 31 日同意康复检查并加盖印章）。2019 年 6 月 27 日，工程公司为涉案工程补缴工伤保险费。2019 年 9 月 24 日，吴某工伤证换发为建筑业工伤证。

2019 年 11 月 6 日，吴某家属向通州区人社局提出报销康复费申请，通州区人社局告知：涉案工程补缴工伤保险后，吴某亲属及建筑劳务公司均未提出工伤康复申请；甲医院不属于“与市医疗保险事务管理中心签订工伤康复服务协议的工伤康复机构”，即不属于定点工伤康复机构。故相应的康复费用无法报销。

2020 年 5 月 27 日，吴某提起劳动仲裁，要求建筑劳务公司、工程公司连带支付 2019 年 6 月 28 日至 2020 年 5 月 25 日期间的康复费、住院伙食补助费。同年 7 月 29 日，因劳动仲裁在审限内无法结案，吴某遂向法院提起诉讼。

一审法院经询区人社局得知：建筑业工伤证与一般工伤证在报销政策上无区别；无医保卡可由患者先行垫付后进行手工报销，有医保卡可享受实时结算，即不影响最终报销；原告 2020 年 5 月 25 日以后在定点医院康复，已进行正常报销。

吴某认为，因工程公司、建筑劳务公司存在过错，致使其无法及时取得建筑业工伤证和社保卡，故工程公司和建筑劳务公司应当对该期间发生的费用承担赔偿责任，故起诉至法院，请求判令建筑劳务公司支付康复费 187681 元、住院伙食补助费 9960 元，工程公司承担连带责任。

【案件焦点】

1. 吴某未在定点康复机构进行康复产生的费用应由谁负担；2. 吴某在工伤保险待遇项下未获支持的部分康复费用，是否应当再按照医疗保险待遇在本案中予以一并审理并支持。

【法院裁判要旨】

北京市通州区人民法院经审理认为：吴某所受伤害被认定为工伤，建筑劳务公司作为其用人单位，应当对其工伤医疗、康复等负有积极作为义务。对于

2019年6月28日至10月31日期间的康复费、住院伙食补助费，建筑劳务公司于2019年10月31日同意进行康复并在工伤康复申请表上加盖印章，属于未及时提出或同意吴某的康复申请，具有明显过错，其应当赔偿2019年6月28日至10月31日期间实际产生的康复费用和住院伙食补助费。因工程公司已补缴工伤保险费用，其对于上述期间相关费用未能报销不存在过错，故不应当承担责任。

对于2019年11月1日至2020年5月25日期间的康复费、住院伙食补助费，一方面，吴某于2019年6月即得知其未在定点工伤康复机构进行康复的费用无法报销，其在明知该事实的情况下，仍然选择在非定点康复机构进行康复，由此产生扩大的损失不应归责于建筑劳务公司、工程公司。另一方面，参照区人社局答复，建筑业工伤证与工伤证在报销政策上无区别，是否办理社保卡仅系报销程序稍有不同，并不影响最终报销结果，故吴某关于其因无法及时取得建筑业工伤证和社保卡导致无法报销的主张，法院不予采信。因此，吴某未选择定点康复机构导致不能报销康复费用，建筑劳务公司、工程公司对此不存在过错，故吴某关于该期间康复费用、住院伙食补助费用的诉请，缺乏事实与法律依据，法院难以支持。

北京市通州区人民法院依照《中华人民共和国民事诉讼法》第六十四条第一款之规定，作出如下判决：

一、被告建筑劳务公司支付原告吴某2019年6月28日至2019年10月31日期间康复医疗费86628.96元、住院伙食补助费3750元；

二、驳回原告吴某的其他诉讼请求。

吴某不服一审判决，提起上诉。北京市第三中级人民法院经审理认为：本案二审争议焦点为，对于一审法院在工伤保险待遇项下未支持吴某主张的部分费用，是否应当在医疗保险待遇项下在本案中予以一并审理。

虽然工伤保险和医疗保险均属于社会保险项下的险种，但工伤保险和医疗保险在法律规定、报销程序、报销项目、报销范围等方面存在明显不同，工伤保险待遇纠纷与医疗保险待遇纠纷亦属于不同的案由，且一审中法院已向各方充分释明工伤保险待遇与医疗保险待遇的区别，吴某选择在本案中主张工伤保险待遇，并不影响其今后另行主张医疗保险待遇，故吴某上诉要求在二审中按照医疗保险待遇的相关规定支持其费用损失的意见，二审法院不予支持。若吴某认为其还存在医疗保险报销损失的问题，可依法另行解决。故一审判决认定事实清楚，适用法律正确，应予维持。

北京市第三中级人民法院依照《中华人民共和国民事诉讼法》第一百七十条第一款第一项之规定，作出如下判决：

驳回上诉，维持原判。

【法官后语】

本案是民事诉讼中典型的“另案处理”情形。“另案处理”是指法官在案件审理裁判过程中，对于一些不属于其正在处理案件所涉及法律关系的某些诉讼请求或者对于案件涉及的某些法律事项不作出结论性判定，而是对此类诉讼请求或法律事项表述为“另案处理”“另行解决”“不予处理”等的裁判方式。

“另案处理”式裁判本质上属于法官在程序进行上的诉讼指挥权。“另案处理”的原因多种多样，如不属于本案争议范围、涉及案外人利益、与本案不属于同一法律关系、部分诉请已经另行起诉等。本案中，主审法官面对诉讼突袭，及时行使释明权和诉讼指挥权，指示其另案处理的做法，符合本案实际。

第一，本案“另案处理”符合民事诉讼辩论原则。辩论原则是民事诉讼的一项基本原则，是指当事人双方就案件的事实和法律争议，各自陈述自己的主张和意见，互相进行反驳和答辩。包括：其一，当事人有权围绕争议焦点问题，通过陈述事实、理由和提供证据对对方陈述的事实、理由和证据进行反驳，进而影响法官的判决；其二，法院应当为当事人提供行使辩论权的时间和机会，在判决之前必须进行法庭辩论程序，充分听取当事人双方的辩论意见。

本案中，当事人均围绕工伤保险法律关系陈述、答辩、举证质证，法庭亦围绕该法律关系进行审理至法庭辩论阶段，吴某此时提出医疗保险法律关系以补强其诉讼请求，属于诉讼突袭。如果一审法院对其医疗保险法律关系项下权益进行实体处理，则剥夺了建筑劳务公司、工程公司的辩论权利，难免有程序违法之嫌。

同时，劳动仲裁是诉讼的前置程序。吴某以工伤保险法律关系提起劳动仲裁，其在诉讼中又以医疗保险法律关系补强其诉讼请求，违反了法律关于劳动争议应当仲裁前置的规定。

第二，本案“另案处理”，可以防止强行合并导致审理延迟。基本医疗保险制度和工伤保险制度是我国社会保障体系中并列的两种社会保险制度。工伤保险和医疗保险在法律规定、报销程序、报销项目、报销范围等方面存在明显不同，工伤保险待遇纠纷与医疗保险待遇纠纷亦属于不同的案由。基于此，吴某在一审法院查明建筑业工伤证、社保卡不影响其康复费用报销权益的情况下，以医疗保险法律关系作为诉讼突袭手段，若一审法院对其该项主张强行合并审理，则会重复之前的法庭调查、举证质证等程序，会导致明显的诉讼延迟，而分割后，吴某在医疗保险法律关系项下另行起诉，则可以更好地实现程序加快与清晰化。

此外，如吴某无法在工伤保险待遇项下取得相应赔偿款项，其可在医疗保险待遇项下另行起诉解决。本案对于医疗保险法律关系部分另行处理，不影响吴某今后另行主张医疗保险待遇的实体权利。

编写人：北京市通州区人民法院　孙洪旺

44

工伤治疗期间遭遇医疗过错的，人身损害赔偿与工伤保险待遇的赔付问题

——侯某诉建设公司工伤保险待遇案

【案件基本信息】

1. 裁判书字号

江苏省溧阳市人民法院（2021）苏0481民初198号民事判决书

2. 案由：工伤保险待遇纠纷

3. 当事人

原告（反诉被告）：侯某

被告（反诉原告）：建设公司

【基本案情】

建设公司承建了某安装施工分包工程，侯某在该项目从事安装工工作，建设公司未为侯某缴纳工伤保险。2019 年 9 月 6 日 14 时 30 分许，侯某左手指被电钻转杆绞伤，后侯某住院治疗，至 2019 年 9 月 12 日出院。医院诊断为：左手掌指关节脱位；左手掌指关节内侧副韧带损伤；左手拇指软组织挫裂伤。医嘱建议休息一个月。2019 年 10 月 25 日，侯某再次住院治疗，至 2019 年 11 月 1 日出院，医嘱建议休息三个月。2019 年 12 月 16 日，侯某因医疗损害责任赔偿纠纷，经法院调解，与某医院达成一致赔偿意见，由某医院一次性赔偿侯某医疗费、误工费、残疾赔偿金、护理费、精神抚慰金，住院伙食补助费、营养费、交通费、被抚养人的生活费等合计 7.5 万元。

2020 年 7 月 22 日，溧阳市人力资源和社会保障局作出认定工伤决定书，认定侯某受伤为工伤。2020 年 8 月 14 日，经常州市劳动能力鉴定委员会鉴定，侯某构成伤残等级八级。

因就工伤待遇发生争议，侯某提起劳动仲裁。2020 年 11 月 11 日，溧阳市劳动人事争议仲裁委员作出仲裁裁决："一、双方于 2020 年 9 月 9 日终止工伤保险关系；二、建设公司支付侯某住院伙食补助费 120 元、护理费 504 元、停工留薪期工资 21897.67 元、一次性伤残补助金 60218.58 元、一次性工伤医疗补助金 80000 元、一次性伤残就业补助金 35000 元、交通食宿费 4000 元等各项工伤待遇合计 201740.25 元；三、侯某的其他仲裁请求，依法不予支持。"裁决作出后，侯某、建设公司均不服该裁决，分别提起民事诉讼。

案件审理过程中，建设公司向法院申请司法鉴定，请求对"某医院医疗过失在侯某工伤中的因果关系、参与度、原因力大小"进行鉴定，2021 年 4 月 13 日，甲司法鉴定所出函认为，"若需确定医院诊疗过程是否存在瑕疵，以及治疗瑕疵的参与度，应申请医疗损害鉴定"，未受理该鉴定申请。2021 年 5 月 7

日，建设公司再次提起司法鉴定申请，请求对“侯某2019年9月6日受伤时的劳动能力等级”进行鉴定。2021年6月25日，乙司法鉴定所作出《终止鉴定告知书》，认为“本机构技术能力有限，无法对治疗期间的伤残等级进行鉴定致使鉴定工作无法继续进行”。

另查明，2018年度，江苏省建筑安装业就业人员平均工资为65693元/年。

【案件焦点】

劳动者在发生工伤后，在医院治疗过程中发生治疗瑕疵获得人身损害赔偿的部分，是否需要在工伤保险待遇中扣除。

【法院裁判要旨】

江苏省溧阳市人民法院经审理认为：关于工伤保险待遇中的一次性工伤医疗补助金80000元、一次性伤残就业补助金35000元，侯某与建设公司均无异议，予以确认。

关于侯某在工作过程发生事故受伤，被依法认定为工伤，建设公司认为在工伤治疗过程中医疗机构存在过错，工伤赔偿时应当扣减医疗机构赔偿部分的主张，没有事实和法律依据。首先，建设公司未提供证据证明医疗机构的诊疗行为导致了侯某伤残等级的加重，即便在此次审理过程中提起的两次司法鉴定，也未能得出参与度等相关结论；其次，建设公司在收到常州市劳动能力鉴定委员会的鉴定意见后，未在规定的期间提出复核或重新鉴定，是其对自己权利放弃的表现；最后，侯某接受两次手术治疗并非其过错造成，且在治疗过程中其身心也必然受到伤害，故从保护劳动者、无过错方的角度出发，结合案件事实，对于建设公司的主张不予认可。

关于住院伙食补助费、护理费，侯某共住院两次13天，第二次7天是某医院治疗不当再次手术导致，该次住院的伙食补助费、护理费也已经在某医院与侯某的纠纷中得到了解决，故伙食补助费、护理费的天数应为6天。侯某主张50元/天的伙食补助标准以及125元/天的护理标准于法无据，变更伙食补助费为20元/天、护理费84元/天，即伙食补助费120元、护理费504元。

关于停工留薪期工资、一次性伤残补助金，对于停工留薪期间有医疗证明佐证，为 4 个月，一次性伤残补助期间为 11 个月；对于侯某的工资标准，侯某虽然在庭审中提交了部分收支工资的记录，但该记录仅能反映其短时间内的收入，无法证明其每月的固定收入，故对于侯某的工资标准，参照 2018 年度江苏省建筑安装业就业人员平均工资 65693 元/年。故变更停工留薪期工资为 21897.67 元、一次性伤残补助金 60218.58 元。

关于交通费和食宿费，尽管侯某未提供足够证明力的票据证明，但结合其往返多地进行治疗、鉴定、仲裁、诉讼的事实，酌情认定为 5000 元。

江苏省溧阳市人民法院依照《工伤保险条例》第三十条第四款、第三十三条、第三十七条、第六十二条第二款，《江苏省实施〈工伤保险条例〉办法》第二十七条之规定，判决如下：

一、建设公司在本判决生效之日起十日内向侯某支付住院伙食补助费 120 元、护理费 504 元、停工留薪期工资 21897.67 元、一次性伤残补助金 60218.58 元、一次性工伤医疗补助金 80000 元、一次性伤残就业补助金 35000 元、交通食宿费 5000 元等各项工伤待遇合计 202740.25 元；

二、驳回侯某、建设公司的其他诉讼请求。

判决后，双方当事人均未上诉，本判决现已生效。

【法官后语】

劳动者发生工伤后就医，但在就医过程中医疗机构存在治疗失误有可能加重劳动者伤情，是否可以获得人身损害与工伤保险的双赔？是否需要在工伤保险待遇的部分扣除医疗损害的部分？笔者认为，在有条件通过鉴定确定医疗损害参与度的情况下，应酌情予以扣除，尤其是伤残等级所影响的一次性伤残补助金等；在无法分辨参与度时，应从保护无过错方的角度出发，进行赔付。理由如下：

首先，不能完全将该类情况判定为双赔。在司法实践中，有一类案件的处理与之类似，即因第三人侵权导致的工伤赔偿，对于该类案件，主流观点均认可侵权赔偿与工伤赔偿在法律上并行不悖，故对于本案的处理，也有观点认为无需考虑医疗过错对于工伤结果的参与度。但本案与上述案件也有一定区别，主要表现在本案并非侵权导致的工伤，而是在工伤后又发生侵权，即不存在一行为的私法赔偿与公法补偿的竞合。本案侵权行为发生的时间点是劳动能力鉴定之前，且两次受伤位置重合，而劳动能力鉴定又依赖于劳动者受伤的恢复情况，所以，从实际情况出发，该医疗过错的确影响了鉴定结果对伤情的还原，若简单采信未将医疗过错纳入鉴定流程的鉴定意见，对于用人单位来说，该判决就失之偏颇。故在案件审理过程中，建设公司向法院申请司法鉴定的申请，法院经审查后，未予驳回。

其次，无法辨别参与度情况下的赔付方案是基于双方过错程度衡量后作出的。我国劳动法、工伤保险条例均规定了劳动者应享有工伤待遇，这是劳动者的法定权利，同时是用人单位的法定义务。本案劳动者在发生工伤后就医，是为了治疗身体，重获健康，其不可能为获得赔付而加重伤情，劳动者在该事故过程中自然是毫无过错。而本案中的用人单位，并未按照法律规定给劳动者缴纳工伤保险，且在劳动能力鉴定结果出具后，未在法定时间内提出复核申请。从过错角度来看，用人单位应当承担与之过错相适应的责任。

最后，从法律立法的理念来看，获得工伤保险待遇，是国家法律强制规定，是社会保障机构或用人单位的法定义务，是受害人基于劳动者的身份，依法所应享受的权利。如果职工发生事故并依法认定为工伤的，作为给付工伤保险待遇的工伤保险经办机构就应当按照法律的规定支付保险待遇，否则就是不合法的。如果用人单位没有参加工伤保险，职工发生工伤，按照《工伤保险条例》第六十条规定，用人单位应当承担《工伤保险条例》规定的全部工伤保险待遇（包括本应由工伤保险基金负担的部分）。用人单位同样也不得以侵权第三人赔偿了相关费用而拒绝支付相应的工伤保险待遇。同时，《工伤保险条例》及其他法律也并没有赋予保险机构和用人单位对因侵权引起工伤的侵害人享有代位求偿权，用人单位和工伤保险经办机构不能要求工伤职工先向侵害人索赔后才能申请工伤保险待遇，也不能从工伤职工应享有的保险待遇中扣减其从侵害人处获得的赔偿款项。

编写人：江苏省溧阳市人民法院　鲍克锋　李琛洁

七、劳动争议仲裁

45

企业进入破产程序后，劳动者有权直接起诉确认劳动关系及劳动债权数额，不必经过仲裁前置程序

——龙某诉包装公司职工破产债权确认案

【案件基本信息】

1. 裁判书字号

江苏省宿迁市中级人民法院（2021）苏13民终4378号民事裁定书

2. 案由：职工破产债权确认纠纷

3. 当事人

原告（上诉人）：龙某

被告（被上诉人）：包装公司

【基本案情】

2015年3月26日，龙某（乙方）与包装公司（甲方）签订《聘用合同》，约定甲方出资在深圳成立贸易分公司，合同有效期自2015年5月5日起至2035年5月4日止。甲方聘用乙方任贸易分公司总经理，全面负责该公司工作，乙方在任职贸易分公司总经理期间，仍有义务监管包装公司的整体运作。合同还约定，甲方按月支付乙方工资30000元，甲方为乙方缴纳五险一金。合同签订

后，案外人赵某支付龙某40000元，包装公司未为龙某缴纳社会保险。

2015年7月24日，经深圳市市场监督管理部门核准登记，贸易分公司成立，法定代表人为龙某。

2020年1月8日，深圳市龙岗区劳动人事争议仲裁委员会向龙某出具告知书，载明龙某有关解除劳动关系并由包装公司支付214400元的仲裁申请不属于仲裁管辖范围。

2020年5月21日，江苏省泗阳县人民法院依法作出民事裁定，受理案外某融资公司对包装公司的破产清算申请。

2021年4月14日，龙某直接向法院起诉，请求确认其与包装公司之间的劳动关系已经解除并对包装公司享有职工破产债权214400元。

【案件焦点】

龙某未经劳动争议仲裁能否提起本案诉讼。

【法院裁判要旨】

江苏省泗阳县人民法院经审理认为：龙某与包装公司对双方之间是否存在劳动关系发生争议，该争议属劳动争议案件审理范畴，并非职工破产债权确认之诉，龙某未经仲裁前置程序，即直接向一审法院提起诉讼，不符合立案受理的条件，应裁定驳回起诉。

江苏省泗阳县人民法院依照《中华人民共和国民事诉讼法》第一百一十九条第四项、第一百五十四条第一款第三项之规定，作出如下裁定：

驳回龙某的起诉。

龙某上诉称：本案属于破产债权确认纠纷案件，不适用劳动争议仲裁前置程序，否则有违企业破产法所倡导的公平清偿的目标。有关职工破产债权确认纠纷案件直接由破产案件受理法院审理有助于查明案件事实。综上，请求二审法院撤销一审裁定，指令一审法院审理。

江苏省宿迁市中级人民法院经审理认为：一审法院以本案系劳动争议纠纷且未经过劳动争议仲裁前置程序为由驳回龙某的起诉，属于适用法律不当，应予纠正。

首先，《中华人民共和国企业破产法》第四十八条第二款规定，债务人所欠职工的工资和医疗、伤残补助、抚恤费用，所欠的应当划入职工个人账户的基本养老保险、基本医疗保险费用，以及法律、行政法规规定应当支付给职工的补偿金，职工作为债权人不必向管理人申报该项债权，由管理人调查后列出清单并予以公示；职工对清单记载有异议的，可以要求管理人更正；管理人不予更正的，职工可以向人民法院提起诉讼。可见，该法赋予了劳动者不经劳动争议仲裁直接起诉的权利。相对于《中华人民共和国劳动法》《中华人民共和国劳动争议调解仲裁法》，在处理破产企业职工债权方面，《中华人民共和国企业破产法》属于特别法，按特别法优于一般法的原则，破产企业职工就职工债权可以直接向人民法院起诉，不必经过劳动争议仲裁前置程序。

其次，职工破产债权确认纠纷案件，是指债务人的职工对于管理人依据企业破产法第四十八条第二款所列清单记载的内容有异议，请求管理人更正，管理人不更正的，向人民法院提起的确认上述清单记载的费用数额及相关事项的民事诉讼案件。在管理人调查过程中，劳动关系的确认是确定债务人拖欠职工工资、补偿金等费用金额的前提，如果清单载明的职工名单与实际职工名单不一致，职工破产债权确认纠纷案件当然能够解决劳动关系的确认问题，故龙某就其与包装公司是否存在劳动关系以及对包装公司享有职工债权的数额产生的纠纷，实质上属于职工破产债权确认纠纷而非一审法院认定的劳动争议案件。

最后，仲裁前置是劳动争议处理的一般程序，但劳动争议仲裁前置程序设立的初衷就是快速有效地解决劳动争议案件，维护劳动者合法权益。而企业进入破产程序后，仲裁机构已不能裁决破产企业限期支付相关债权，申请人要求企业限期支付劳动报酬、经济补偿等主张，客观上已不能实现。此外，前置程序并非当然具有终局效力，仲裁之后再行提起诉讼耗费的时间也弱化了仲裁高效的职能，而受理破产案件的法院对于破产企业职工情况等基本事实更为了解，相较于劳动争议仲裁机构更具优势，劳动关系的确认及职工债权的一并处理也符合破产程序的效率原则。

江苏省宿迁市中级人民法院依照《中华人民共和国企业破产法》第四十八条第二款、《中华人民共和国民事诉讼法》第一百七十一条、《最高人民法院关于适用〈中华人民共和国民事诉讼法〉的解释》第三百三十二条规定，裁定如下：

一、撤销一审裁定；

二、本案指令江苏省泗阳县人民法院审理。

【法官后语】

在现行法的框架内，仲裁前置是劳动争议处理的一般性程序设计。对于劳动争议案件实行仲裁前置，一是得益于我国对于劳动争议处理的重视，劳动行政部门制定了比较完善的劳动争议仲裁规章制度，建立完善的劳动人事仲裁机构，对劳动争议纠纷实行仲裁裁决，有利于处理大量的劳动纠纷。二是受限于我国的国情，我国职工基数大、案件多，实行仲裁前置，由专业性仲裁机构高效化解劳动纠纷具有极为重要的现实意义。三是立足于劳动关系的及时修复，劳动争议纠纷专业性强，涉及劳动者的基本权益，宜尽快解决纠纷，而劳动仲裁办案流程简便、省时高效，且劳动仲裁不收费，极大降低了争议化解的各种成本。实行仲裁前置，将大量的劳动纠纷解决在诉前，及时修复劳动关系，减少了对抗，利于劳动关系的和谐与社会的稳定。

但是，当用人单位进入破产程序后，劳动者有关工资、经济补偿金等给付诉讼已经转化为职工债权确认纠纷。也就是说，进入破产程序后有关给付款项的主张客观上不能得到完全支持。对于职工债权确认纠纷案件，我国企业破产法第四十八条第二款已经将其与劳动争议的一般处理程序相区别开来，规定了劳动者不经劳动争议仲裁直接起诉的权利。需要说明的是，不能将劳动关系的确认排除于职工债权确认纠纷的范畴，因为职工债权数额的确定伴随着劳动关系的确认。

允许劳动者直接提起职工债权确认诉讼并没有牺牲劳动争议仲裁前置带来的及时高效。企业进入破产程序后，管理人以及案件受理法院对于职工情况的了解程度远高于仲裁机构，劳动关系的完全修复一般不具有可能性，而职工债权数额的统一认定和公示以及破产程序中府院联动的普遍运用更有利于化解矛盾。企业破产法是相较于劳动法、劳动争议调解仲裁法的特别法，在劳动争议仲裁机构不能裁决破产企业限期支付相关债权的情况下，劳动者有权直接要求确认劳动关系和相关劳动债权数额，而不必经过仲裁前置程序。

编写人：江苏省宿迁市中级人民法院　王更

46

确认劳动关系纠纷中仲裁时效的认定

——山东某公司诉李某确认劳动关系案

【案件基本信息】

1. 裁判书字号

山东省淄博市中级人民法院（2021）鲁03民终4157号民事判决书

2. 案由：确认劳动关系纠纷

3. 当事人

原告（被上诉人）：山东某公司

被告（上诉人）：李某

【基本案情】

2007年12月，李某到山东某公司工作，至2014年2月山东某公司未与李某签订劳动合同。2014年3月1日至今，李某与山东某公司签订劳动合同，山东某公司为李某缴纳社会保险。2021年2月22日，李某以要求确认与山东某公司自2006年10月起存在劳动关系、支付加班费为由，向桓台县劳动人事争议仲裁委员会申请仲裁。桓台县劳动人事争议仲裁委员会于2021年4月12日作出裁决：一、确认李某与山东某公司之间自2007年12月至2021年2月期间存在劳动关系；二、驳回李某的其他仲裁请求。山东某公司对该裁决不服，诉至法院，请求确认山东某公司与李某自2007年12月至2014年2月期间不存在事实劳动关系。

【案件焦点】

确认劳动关系纠纷中仲裁时效应如何认定。

【法院裁判要旨】

山东省桓台县人民法院经审理认为：本案争议的焦点是确认山东某公司与李某自2007年12月至2014年2月存在劳动关系是否超过仲裁时效。《中华人民共和国劳动争议调解仲裁法》第二十七条规定，劳动争议申请仲裁的时效期间为一年。仲裁时效期间从当事人知道或者应当知道其权利被侵害之日起计算。李某与山东某公司于2014年3月1日签订劳动合同，劳动合同签订后，李某已经知道或者应当知道此前山东某公司未与其签订劳动合同侵害了其权利，其应该在2015年3月1日前提起仲裁申请，但李某于2020年2月22日申请仲裁，请求确认其与山东某公司自2006年10月至2014年2月期间存在劳动关系，已经超过一年的仲裁时效，故不予支持。李某与山东某公司自2014年3月1日至2021年2月期间存在劳动关系，双方均没有异议，予以支持。

山东省桓台县人民法院依照《中华人民共和国劳动争议调解仲裁法》第二条、第二十七条之规定，判决：

确认山东某公司与李某自2014年3月1日至2021年2月期间存在劳动关系。

李某不服一审判决，提起上诉。山东省淄博市中级人民法院经审理认为：《劳动和社会保障部关于确立劳动关系有关事项的通知》第一条规定，用人单位招用劳动者未订立书面劳动合同，但同时具备下列情形的，劳动关系成立。（一）用人单位和劳动者符合法律、法规规定的主体资格；（二）用人单位依法制定的各项劳动规章制度适用于劳动者，劳动者受用人单位的劳动管理，从事用人单位安排的有报酬的劳动；（三）劳动者提供的劳动是用人单位业务的组成部分。山东某公司自 2007 年 12 月开始为李某缴纳工伤保险，且李某工作地点至双方当事人签订书面劳动合同时始终未发生变化，其一直在山东某公司工作，且李某提供的劳动系山东某公司的业务组成部分。因此，双方之间符合劳动关系的法律特征。山东某公司虽主张李某在此期间系厂家促销员，其系代厂家为李某缴纳工伤保险，但对此并未提供证据予以证实。因此，自 2007 年 12 月至 2014 年 2 月，双方当事人之间已经形成劳动关系。关于 2006 年 10 月至 2007 年 11 月期间的劳动关系问题，因李某未提供任何初步证据予以证实，故不予支持。

《中华人民共和国劳动争议调解仲裁法》第二十七条第一款规定，劳动争议申请仲裁的时效期间为一年。仲裁时效期间从当事人知道或者应当知道其权利被侵害之日起计算。鉴于本案中李某工作单位及工作地点并未发生变化和中断，双方无论是否签订劳动合同，只要双方符合劳动关系的特征和法定情形，双方之间的劳动关系即一直处于持续状态，并未发生应当开始计算仲裁时效的情形。一审判决认定李某申请确认其与山东某公司自 2006 年 10 月至 2014 年 2 月期间存在劳动关系超过仲裁时效不当。李某的上诉请求成立。

山东省淄博市中级人民法院依照《中华人民共和国劳动争议调解仲裁法》第二十七条第一款，《中华人民共和国民事诉讼法》第一百七十条第一款第二项规定，判决如下：

一、变更一审判决为：李某与山东某公司自 2007 年 12 月至 2021 年 2 月期间存在劳动关系；

二、驳回山东某公司的其他诉讼请求。

【法官后语】

我国对劳动争议案件的处理采取的是仲裁前置模式，即劳动仲裁是劳动争议诉讼的前置程序。法律对于劳动仲裁规定了仲裁时效，劳动仲裁时效是指劳动者在法定期间内不行使权利即丧失请求劳动争议仲裁机构依法保护其权利并同时承担相应的法律后果的法律制度。本案一审认为李某与山东某公司于 2014 年 3 月 1 日签订劳动合同，劳动合同签订后，李某已经知道或者应当知道此前山东某公司未与其签订劳动合同侵害了其权利，其应该在2015年3月1日前提起仲裁申请，李某于2020年2月22日申请仲裁，请求确认其与山东某公司自2006年10月至2014年2月期间存在劳动关系，已经超过一年的仲裁时效。二审则认为，一审判决认定李某申请确认其与山东某公司自2006年10月至2014年2月期间存在劳动关系超过仲裁时效不当，应当予以纠正。故本案涉及的一个重要问题就在于确认劳动关系纠纷案件中仲裁时效如何认定。具体应当从如下几个方面理解与把握：

1. 确认劳动关系纠纷适用劳动仲裁时效的规定

劳动仲裁时效是一种特别时效，专门适用于劳动争议这一特定的民事案件，规定于劳动法这一民法的特别法中，因此当事人的劳动争议依法受到劳动仲裁时效的限制。关于确认劳动关系是否适用仲裁时效的问题，司法实践中有观点认为，诉讼时效与仲裁时效的适用范围仅限于请求权，而确认劳动关系是对劳动者与用人单位之间是否存在劳动关系的确认，系确认之诉，属于形成权，故不应适用诉讼时效与仲裁时效。《中华人民共和国劳动争议调解仲裁法》第二条规定，中华人民共和国境内的用人单位与劳动者发生的下列劳动争议，适用本法：（一）因确认劳动关系发生的争议……第二十七条第一款规定，劳动争议申请仲裁的时效期间为一年。仲裁时效期间从当事人知道或者应当知道其权利被侵害之日起计算。因而，确认劳动关系纠纷属于劳动争议案件的审理范围，应适用劳动仲裁时效的规定。在实践中，对于劳动争议案件即使是在进入民事诉讼程序后，人民法院也应当就是否超过劳动仲裁时效进行审查，而不应审查是否超过诉讼时效，更不能以诉讼时效去否定劳动仲裁时效。

2. 劳动仲裁时效起算点的认定

法律意义上的时效是指法律规定的某种事实状态经过法定时间而产生一定法律后果的法律制度。它是民事法律关系产生、变更、消灭的根据。劳动争议仲裁时效对于劳动争议仲裁程序及诉讼程序均至关重要，当事人应当在仲裁时效期间内主张权利，如果当事人提出仲裁申请超过仲裁时效，将丧失相应的胜诉权。因而在劳动争议案件中正确认定仲裁时效的起算点不仅是法院审理案件的重要内容之一，也对当事人的权益有着重要的影响。为切实保护劳动者的合法权益，审判实践中应当正确认定和把握诉讼时效起算点。依据《中华人民共和国劳动争议调解仲裁法》第二十七条的规定，仲裁时效期间从当事人知道或者应当知道其权利被侵害之日起计算。“知道或者应当知道其权利被侵害之日”，是指有证据表明权利人知道自己的权利被侵害的日期，或者根据一般规律推定权利人知道自己的权利被侵害的日期，亦即劳动者与用人单位之间发生劳动争议之日。从这一时间点开始计算仲裁时效期间，符合仲裁时效是权利人请求仲裁机构保护权利的法定期间的本意。在对“知道或者应当知道其权利被侵害之日”的具体认定和判断上，应当坚持主客观相结合的原则。所谓“知道”是一种主观认定，即权利人主观上知道自身权利被侵害的事实；所谓“应当知道”是一种客观推定，即权利人基于客观事实和自身认知、经验等，在合理注意情形下，应当知道自身权利受到侵害的事实。对于权利人是否知道或者应当知道，司法实践中一方面要按照一般情况下普通人在谨慎义务情形下的认定标准进行判断，另一方面也要根据案件的具体情况，根据权利人特殊的专业知识、学历水平和知识技能等主观标准进行衡量，并综合运用公平和诚实信用原则平衡双方利益，在确保公平的基础上进行衡量。

3. 劳动争议仲裁时效起算的前提和基础

时效制度存在的合理性和正当性基础一方面在于通过督促行为人及时行使权利，另一方面在于通过对以往法律关系和相关权利的限制，维护现在和将来交易秩序的安全及社会公共利益。对于劳动争议案件而言，劳动仲裁时效期间的规定是为了有效督促当事人在劳动争议发生后及时行使权利，从而有利于劳动争议的尽快解决，进而维护劳动关系的总体稳定。如前所述，仲裁时效的起算应以当事人主观上已经知晓权利被侵害或应当知晓权利被侵害的事实为构成要件。亦即仲裁时效是以劳动者与用人单位之间发生劳动争议但当事人未请求劳动争议仲裁机构保护其权利（即未申请劳动仲裁）的事实状态为前提和基础。换句话说，只有在劳动者和用人单位之间就劳动事项发生争议的情形下，才会产生开始计算仲裁时效的问题；而在双方没有发生劳动争议的情形下，并不存在仲裁时效期间开始计算的问题。因此，对于确认劳动关系纠纷而言，在有证据证明的劳动者与用人单位双方劳动关系正常存续期间，劳动者与用人单位就双方劳动关系是否存在尚没有发生争议时，当事人主观上并不认为自己权利受到侵害，即并不存在“当事人知道或者应当知道其权利被侵害”的情形。故在此情况下也就不存在开始计算劳动仲裁时效的问题。

编写人：山东省淄博市中级人民法院　荣明潇

山东省淄博市张店区人民法院　刘晓辉

八、其　他

47

基于企业自主经营权的合理差别对待不属于就业歧视，不应认定侵犯劳动者平等就业权

——关某诉科技公司平等就业权案

【案件基本信息】

1. 裁判书字号

北京市第三中级人民法院（2021）京 03 民终 6702 号民事判决书

2. 案由：平等就业权纠纷

3. 当事人

原告（上诉人）：关某

被告（被上诉人）：科技公司

【基本案情】

2015 年 11 月 1 日，关某与科技公司签订《劳动合同》，约定关某同意根据科技公司工作需求，担任公关总监岗位工作，合同期为 2015 年 11 月 1 日至 2018 年 10 月 31 日。2018 年 6 月 8 日，关某向科技公司提交《辞职信》，科技公司同意关某辞职。

关某认为，科技公司实施了排挤和报复女职工的行为，违反我国法律对

“三期”女职工的保护规定，侵犯了关某的平等就业权，故诉至法院，要求科技公司停止侵害、公开赔礼道歉，赔偿精神损害抚慰金 5 万元。科技公司辩称，公司行使自主经营权，未侵害关某平等就业权，也不存在就业歧视，不同意原告的全部诉讼请求。

【案件焦点】

1. 科技公司在与关某劳动合同履行过程中产生的纠纷，是否属于平等就业权保护范围；2. 科技公司安排关某出差、成立“品牌营销部”及调整关某办公座位、修改关某企业邮箱密码、移出部分微信群、开具离职证明等情况是否属于就业歧视；3. 科技公司的行为与关某的损害后果之间有无因果关系。

【法院裁判要旨】

北京市朝阳区人民法院经审理认为：本案的核心在于明确平等就业权的适用范围、就业歧视行为的认定及其与企业经营自主权之间的界限。平等就业权是求职者在招聘阶段以及劳动者在劳动合同履行过程中依法享有的一项基本权利，兼具社会权利的属性和民法上的私权利的属性。就民事侵权责任而言，劳动者享有平等就业权应属于一般人格权的范畴，侵害劳动者平等就业权的行为应以是否侵害自然人人格尊严为主要考量和评判依据，其主要表现方式为就业歧视。就业歧视包含两个方面的基本要素：第一，存在差别对待的行为；第二，这种差别对待缺乏合理性基础，为法律所禁止。

关某并未举证证明科技公司安排关某出差违反了法律规定或双方劳动合同约定，亦未举证证明科技公司存在从未安排其他怀孕员工出差的差别对待行为，关某本人对孕期出差事宜并未提出过异议，故科技公司安排关某出差不存在就业歧视。科技公司内部调整行为所涉部门及人员变动情况并不限于关某一人，科技公司依法享有经营自主权，其成立新部门或招聘新员工应系其正当经营行为，并非针对关某个人。科技公司此前不经审核医院诊断证明等文件而同意关某请病假的情况，并不能据此认为科技公司必须同意关某此后提出的 19 天及 32 天的病假申请，科技公司依法享有和行使自主人事管理权，科技公司要求审核关某申请病假相关的医院诊断证明等文件合情合理，完全符合一般的公司人事管理要求。

鉴于双方对请假、病假工资、生育津贴等问题存在较大争议且双方已经通过法律途径解决的情况下，科技公司提出按照生效裁决或判决支付工资及生育津贴并无不当，并非针对关某的缺乏合理性基础的差别对待，科技公司不存在故意克扣或无故拖欠工资的侵犯劳动者合法权益的行为。

综上，科技公司行为是否构成法律上的侵权并非完全基于原告的个人感受和认知，而是需要以一般人的标准和认识作为衡量基础、需要基于充分的证据认定事实、需要以明确的法律规定作为裁判依据。结合平等就业权相关法律规定、侵权构成要件、查明的事实及证据规则、日常生活经验法则等因素综合分析，本案并不足以认定科技公司侵犯了关某的平等就业权，关某的诉讼请求证据不足，不予支持。

北京市朝阳区人民法院依照《中华人民共和国民法总则》第一百零九条、第一百二十条，《中华人民共和国就业促进法》第三条、第六十二条规定，作出如下判决：

驳回原告关某的全部诉讼请求。

二审法院同意一审法院裁判意见。

【法官后语】

《中华人民共和国就业促进法》第三条规定，劳动者依法享有平等就业和自主择业的权利。劳动者就业，不因民族、种族、性别、宗教信仰等不同而受歧视。然而，用人单位同样依法享有自主用人的权利。本案即通过深入细致的论理，形成了平等就业权与企业自主经营权冲突的认定规则。

1. 劳动合同履行过程中劳动者依法享有平等就业权，不受劳动争议前置程序限制

求职阶段设置不合理招录门槛等行为侵害劳动者平等就业权的现象屡见不鲜，诉讼中也较为常见。但对于劳动合同履行阶段的劳动者而言，其平等就业权的保护则缺乏明确规定，司法实践中也较为罕见。与此相适应，从《中华人

民共和国就业促进法》对于平等就业权的规定可以看出，这些规定均以提供给劳动者平等的就业机会和公平的就业条件为主，但亦未明确禁止适用于劳动合同履行过程。本案认定，劳动者在劳动合同履行过程中依法享有基本的人格权益，即人身自由与人格尊严不受侵犯。对于劳动合同履行过程中劳动者平等就业权的保护应系保护劳动者基本人格权益的应有之义，“平等就业权纠纷”作为“一般人格权纠纷”项下案由，其设立与适用充分体现了对于劳动者人格利益的尊重与保护，是区别于劳动合同法律关系的一般人格权利益。

本案的实践价值还在于进一步厘清了具有相同请求权基础事实而同时具有不同诉讼标的的处理规则，即劳动者基于不同的诉的利益而向法院提起诉讼是否构成请求权竞合。本案认为，劳动者基于企业存在就业歧视行为而提起平等就业权纠纷与劳动者基于劳动合同法律关系提起劳动争议诉讼本身并不存在请求权竞合，因此并不会产生双重诉讼利益，劳动者基于劳动合同提起劳动争议诉讼的同时可以向人民法院提出平等就业权的保护之诉。

2. 企业合理自主经营管理行为不得侵犯劳动者平等就业权，是否构成侵权不以劳动者主观感受作为判断标准

清晰界定劳动合同履行过程中的就业歧视行为既是对企业自主经营权的保护，也是对当事人平等就业权保护尺度的合理界定。审判实践中，就业歧视行为认定标准主要体现在两个方面：一是是否存在明显的差别对待行为；二是差别对待是否缺乏合理性基础，且为法律所禁止。与之相对，劳动者基于人格尊严考虑维护其平等就业权的同时应当尊重企业的自主经营权，即企业在核准登记的范围内享有自主经营的权利，包括决策权、指挥权和管理权。当二者发生冲突时，对其行为性质及认定规则应予明确。

企业合理行使自主经营管理权的行为不属于差别对待，未侵犯劳动者的平等就业权。本案中，科技公司在履行劳动合同过程中的部门调整、工作调整、安排出差、请假审批、工资及生育津贴发送等均属于履行一般管理权之行为，未超出其合理的经营管理范畴，不存在明显不合理的差别对待，不构成就业歧视。关某在本案中未能举证证明科技公司所采取的行为具备明显差别对待、为

法律所禁止，且缺乏合理性基础的特征。

对于就业歧视行为的认定，法官应当基于日常生活经验法则，充分考虑行业特征、工作内容及性质，同时排除劳动者个人过高的主观认知，进而作出是否存在就业歧视行为的认定。本案中，关某作为一般劳动者其在劳动合同履行过程中享有平等就业权，但结合相关法律规定、侵权构成要件、查明的事实以及证据规则、日常生活经验法则等因素综合分析，关某的主张缺乏必要的事实和法律依据，无法认定科技公司侵害其平等就业权。

劳动者依法享有平等就业的权利，但其平等就业权是否受到侵犯不以其个人主观意志为转移，而应尊重基于社会生活形成的日常经验法则及一般性、可预期的司法裁判规则。司法的价值不仅在于维护公平正义，也是为了更好地实现社会价值的引导，维护当事人合法权益的同时更要保障权利行使的正当性。

编写人：北京市朝阳区人民法院　谷岩　魏慧彪

48

离职交接表中“无任何争议”格式条款的效力认定

——养护公司诉张某劳动争议案

【案件基本信息】

1. 裁判书字号

北京市第一中级人民法院（2021）京 01 民终 8806 号民事判决书

2. 案由：劳动争议纠纷

3. 当事人

原告（上诉人）：养护公司

被告（上诉人）：张某

【基本案情】

2018年1月1日，张某与养护公司签订劳动合同。2019年11月28日，张某称“本人因不能接受公司单方降低薪酬，特申请离职”，张某正常工作至2019年12月6日，双方均确认劳动关系于2019年12月6日解除。

养护公司主张双方已协商一致确认再无其他劳动争议，并提交了《员工离职工作交接表》，各部门交接的办理情况处显示“√”，其中在人力资源部的交接情况显示：应办事项“其他”框内填写为“经协商8—11月绩效工资差额核定10万元，于2月底前补发”；办理情况处填写为“无”。表格下方显示打印内容“本人对上述离职手续的办理情况确认无误。与公司就此解除/终止劳动（劳务）关系，无任何争议”。落款处员工本人签字确认处有“张某”签字字样。

张某认可《员工离职工作交接表》中其签字的真实性，但表示前述“其他”项处手写内容在其签字时并没有，系养护公司后期添加；此外，其签字时以为只是工作交接表，且无任何争议的文字内容亦未进行加粗提示，其并未注意到。对此，养护公司主张其公司没有必要在张某已表明无任何争议的情况下添加内容，否则不合常理，因当时未将约定款项支付给张某，故在办理情况处填写“无”。

张某以要求养护公司支付解除劳动合同经济补偿金、工资差额、工资为由，向北京市海淀区劳动人事争议仲裁委员会提出申请，该委作出裁决养护公司向张某支付工资差额。养护公司不服该裁决结果，于法定期限内提起诉讼。

【案件焦点】

《员工离职工作交接表》中“无任何争议”格式条款的法律效力如何认定。

【法院裁判要旨】

北京市海淀区人民法院经审理认为：关于《员工离职工作交接表》证据效力的认定。其一，该交接表为养护公司的制式表格，应办事项“其他”一项后方，办理情况处显示“无”。依据正常填写习惯理解，该项并无填写内容，但前方“其他”框内又手写添加有对该项的内容描述，与后方显示填写内容为“无”的情况矛盾。在该处手写添加内容处并无张某确认且交接表在养护公司处保存的情况下，仅据此无法证明张某同意“其他”框内载明的手写内容。其二，交接表下方“本人对上述离职手续办理情况确认无误。与公司就此解除/终止劳动（劳务）关系，无任何争议”的内容为养护公司单方出具的格式条款，且结合前后文内容可见，“无任何争议”究竟是针对解除劳动关系还是针对劳动关系项下的各项待遇，并未清晰表述。故仅据此无法证明张某与养护公司达成了一次性解决劳动争议项下所有纠纷的协议。综上，养护公司提举的《员工离职工作交接表》无法实现相应的证明目的。

北京市海淀区人民法院依照《中华人民共和国劳动合同法》第三十条第一款之规定，作出如下判决：

一、养护公司于本判决生效之日起十日内向张某支付 2019 年 8 月 1 日至 12 月 6 日期间工资差额（按月发放部分）255970.03 元；

二、养护公司于本判决生效之日起十日内向张某支付 2019 年 1 月 1 日至 12 月 6 日期间工资（按年发放部分）121657.09 元。

养护公司、张某均不服一审判决，提起上诉。二审期间，养护公司递交撤诉申请书。北京市第一中级人民法院经审理认为：养护公司于 2021 年 11 月 5 日申请撤诉，符合法律规定；张某的上诉请求不能成立，应予驳回。

北京市第一中级人民法院依照《中华人民共和国民事诉讼法》第一百七十条第一款第一项之规定，作出如下判决：

驳回上诉，维持原判。

【法官后语】

用人单位出具的解除劳动关系的离职交接文件中，不乏各类格式条款，较为常见的为“无任何争议”格式条款，通常为“双方一次性了结所有争议”“劳动者不得再向用人单位主张任何权利”等表述。

如何认定上述格式条款的法律效力，实践中存在以下两种观点：第一种观点为，此类条款为用人单位单方制定的格式条款，并未经过与劳动者的协商议定程序，其目的是免除自己的法定责任、排除劳动者权利，显然应属无效条款；第二种观点为，可视个案情况进行具体认定，部分情况下可认定有效。例如，在离职交接文件中，用人单位已对“无任何争议”格式条款进行了加粗提示，且劳动者为法律意识、议价能力均较强的高管群体时，应当尊重双方的意思自治，认定此类条款合法有效。笔者赞同第一种观点，原因如下：

首先，厘清离职交接表这一载体的本质属性。依据《中华人民共和国劳动合同法》第五十条第二款的规定，劳动者应当按照双方约定，办理工作交接。可见，离职交接文件是用人单位用于记录劳动者对工作财物的归还及流转情况的重要资料，以保障劳动者离职后的职场工作能够有序衔接。究其本质，其是用人单位单方出具的、用于记载特定阶段办理交接事项的格式文本，而非双方协商一致达成的协议，故不能适用于《最高人民法院关于审理劳动争议案件适用法律问题的解释（一）》第三十五条关于解除/终止劳动关系协议的规定进行效力认定；此外，如离职交接表的上下文手写内容不符合一次性形成的逻辑、存在后期添加的可能，用人单位作为保管者无法作出合理解释的，应自行承担不利的法律后果。

其次，依法认定格式条款的法律效力。一方面，离职交接表“无任何争议”的格式条款，属于“用人单位免除自己的法定责任、排除劳动者权利”的情形，依据《中华人民共和国劳动合同法》第二十六条第一款第二项的规定，应当认定为无效。即便用人单位进行了加粗提示，亦无法改变其属于无效条款的实质。另一方面，应当审慎考虑的是，在认定格式条款的法律效力时，不宜将高管群体排除于劳动法倾斜保护的对象范围。与用人单位建立劳动关系的高级管理人员，当然依法受劳动法保护，此种保护不因劳动者学历、学识、法律意识的高低而有所区别。

最后，司法裁判应当体现立法的价值理念。劳动法具备社会法属性，调整的是地位不平等的用人单位与劳动者之间的权利义务关系，基于此，劳动立法遵循倾斜保护原则以实现实质公平。《中华人民共和国民法典》第四百九十七条对无效格式条款的规定，在实现实质公平的理念上是一脉相承的。在劳动法语境下，认定格式条款的法律效力时，司法裁判应当深谙立法的价值理念，不脱离实际，不机械办案，始终坚持正确的事实认定与法律适用，致力于推进和谐劳动关系的构建。

编写人：北京市海淀区人民法院　王琰

49

企业能否以医疗期规定限制职工返岗工作的权利

——机械公司诉徐某劳动争议案

【案件基本信息】

1. 裁判书字号

江苏省连云港市中级人民法院（2021）苏07民终3805号民事裁定书

2. 案由：劳动争议纠纷

3. 当事人

原告（上诉人）：机械公司

被告（被上诉人）：徐某

【基本案情】

1995年2月，徐某入职机械公司。2018年12月，徐某因脑内出血入院治疗，2019年2月出院。医院出具住院诊疗证明书，建议徐某休息至2019年9月2日。2019年6月26日，徐某重返机械公司工作。6月28日，徐某称其身体疲惫，申请回家休息，机械公司允许其回家休养。后徐某于2019年9月26日再次返岗工作。徐某两次返岗工作期间，机械公司均未另行安排徐某工作，徐某的工作岗位仍与生病住院之前相同，即车间管理岗。

另查明，2019年9月12日，徐某经医院诊断为脑内出现后遗症。经机械公司要求，徐某于2019年11月7日前往医院进行检查，检查报告载明“诊断为脑出血术后复查，小脑软化灶形成，左侧基底节腔梗，结合临床，随诊”。徐某提交检查报告后，机械公司通知其在家等候通知。2020年1月9日，医院出具门诊诊疗证明书，载明徐某可进行正常生活和工作。2020年3月27日，机械公司向徐某发出通知，载明：依据本公司《就业规则》的规定，徐某不适合上班，不予安排工作。徐某收到公司通知后，向连云港市劳动人事争议仲裁委员会申请劳动仲裁，后仲裁裁决认定机械公司并无证据证明徐某具有不适合或者不能胜任工作的证据，撤销机械公司作出的停工通知，机械公司按照徐某生病前岗位安排正常工作。机械公司不服，遂成讼。

2020年9月3日，医院针对门诊诊疗证明书出具了情况说明：徐某可进行正常生活或工作的诊疗意见不具有鉴定结论的效力。案件审理过程中，机械公司要求徐某提交能够从事工作的鉴定意见，并申请对徐某进行劳动能力鉴定。徐某称其在庭审中的语言表达及行为动作均足以证明其已经康复，可以从事工作。

【案件焦点】

1. 如何判断职工身体状况是否适合返岗工作；2. 能否以医疗期限未满限制职工返岗。

【法院裁判要旨】

江苏省连云港经济技术开发区人民法院经审理认为：从事劳动是公民的一项基本权利，非依法定事由不得限制或者剥夺。机械公司援引《中华人民共和国劳动保险条例实施细则》第十六条、第十七条及《企业职工患病或非因工负伤医疗期规定》第四条之规定，作为其向徐某作出停工通知的法律依据。而上述关于职工医疗期规定的立法目的实为保障职工在患病或非因工负伤期间的合法权益，用人单位援引该规定作出限制职工劳动权利的行为不符合该项规定的立法意旨。

具体到本案中，徐某在患脑出血疾病后，经过一段时间的治疗休养，虽经诊断尚有"小脑软化灶形成"之后遗症，但通过庭审中听其言、观其行，其谈吐自然、声音清亮、思路清晰、行动自如，言谈举止、逻辑思维似与常人无异，医院出具的医疗诊疗证明书也表示徐某可以正常生活和工作。徐某积极要求返岗工作，自愿放弃机械公司给予的医疗期待遇，机械公司应当尊重徐某的要求，安排徐某从事原工作，如果徐某不能从事原工作，机械公司也应当另行为徐某安排工作。而机械公司径自认为徐某不能从事原工作，又没有为徐某另行安排工作，直接对徐某作出停工通知，此行为没有事实和法律依据，属于限制徐某工作机会和劳动权利。机械公司要求徐某提交能够从事工作的鉴定意见及申请对徐某进行鉴定均无法律依据，对其辩解不予采信，对其鉴定申请不予准许。

江苏省连云港经济技术开发区人民法院依据《中华人民共和国民事诉讼法》第六十四条第一款、《中华人民共和国劳动法》第三条第一款之规定，判决：

一、驳回机械公司的诉讼请求；

二、撤销机械公司于2020年3月27日作出的不安排徐某工作的通知；

三、机械公司于本判决生效后十日内为徐某安排工作。

机械公司不服一审判决，提起上诉。二审审理期间，机械公司申请撤回上诉。江苏省连云港市中级人民法院经审理认为：机械公司在本案审理期间提出撤回上诉的请求，是其真实意思表示，不损害国家利益、公共利益及他人合法权益，符合法律规定，予以准许。

江苏省连云港市中级人民法院依照《中华人民共和国民事诉讼法》第一百七十三条规定，裁定如下：

准许机械公司撤回上诉。

【法官后语】

本案具有一定的特殊性：劳动者在医疗期内主动提出停止休病假，返岗工作，而用人单位以劳动者劳动能力尚未恢复，不宜工作为由，要求劳动者继续休病假，拒绝为其安排工作。从法律角度讲，关键是如何认知医疗期设置的目的和意义，以及劳动者劳动能力恢复的判断问题。

1. 医疗期设置的核心功能

医疗期是我国法律规定企业职工因患病或非因工负伤停止工作治病休息不得解除劳动合同的时限。我国劳动法遵循倾斜保护劳动者的原则。在劳动关系中，劳动者应当履行劳动义务，同时也享有休息休假的权利。劳动者在工作期间如遇患病或非因工负伤而需要请假的情形，可以向用人单位申请病假，并且适用医疗期法律制度，享有相应的病假工资待遇。医疗期的本质功能保障了劳动者免受解雇的权利，医疗期是用人单位不得与劳动者解除劳动合同的时限，本质上是对用人单位的劳动合同解除权进行了限制，从立法上保障了劳动者的就业权。

医疗期保护的是符合休病假的职工在最长期限内休病假，享受病假工资待遇且不被解雇的权利。劳动者滥用医疗期制度休病假、企业利用医疗期制度限制劳动者返岗上班，均不符合医疗制度设置的根本目的。病假的适用侧重于从医学视角进行判断，病假期限长短由劳动者伤势病情的严重程度来决定。劳动者因身体健康恢复，不需要休病假的，应当及时与单位沟通，返岗上班，这是劳动者的权利。

2. 职工劳动能力恢复的判断

实践中，会出现劳动者经治疗后身体恢复到能够正常生活和工作的程度，但留有一定的后遗症，是否能够适应原先岗位尚不明确的情况。从实体上讲，可综合考虑如下因素：(1) 医疗机构的诊断证明；(2) 岗位工作对工作技能的要求；(3) 职工在原岗位工作后的实际表现。从程序上讲，应根据法律程序，先安排职工在原岗位工作，职工不能胜任原岗位工作的，再合理安排其他岗位工作。职工根据身体恢复状况要求停休病假，返岗工作，是对职工权益和用人单位权益的双重保护，劳动者提供上述材料后，用人单位应当为劳动者安排工作，不能以劳动者医疗期未过、需要劳动能力鉴定等事由拒绝安排工作。这与职工医疗期届满后拒绝返岗的情况是完全不同的，职工在医疗期届满后拒绝返岗严重侵犯了用人单位的合法权益，用人单位可以申请劳动能力鉴定。

编写人：江苏省连云港经济技术开发区人民法院　徐威　薛子裔

50

用人单位的惩戒权需进行合理规制

——周某诉医药公司劳动争议案

【案件基本信息】

1. 裁判书字号

北京市第二中级人民法院（2021）京02民终192号民事判决书

2. 案由：劳动争议纠纷

3. 当事人

原告（被上诉人）：周某

被告（上诉人）：医药公司

【基本案情】

周某于2018年2月7日入职医药公司。医药公司员工手册中规定："拒不服从管理层包括资源管理经理合理指令，如与本职工作有关的派遣、指挥和分配"，给予"严重警告"处罚；医药公司公示的"准则—合规事件管理指令"中规定：受到严重警告处罚违纪处分的后果为"扣减1个季度100%的奖金"。

2019年8月25日21时28分，周某的上级领导景某在工作微信群中@周某并称"明早跟你去某医院"；23时27分，周某在上述微信工作群中回复"收到"。周某主张其并未看到景某给其发送的上述信息，其回复的"收到"是指之后群内通知的其他事项。

2019年8月26日8时，景某给周某打电话，但未接通；8时30分，周某给景某发微信询问："老板，什么事？"景某随即回复周某称："随访，你在哪？"8时38分，周某回复景某："某医院。"景某随即回复周某："我在消化科门口，你在哪?”自此直到10时28分，景某5次询问周某的位置，但周某均未回复。10时28分，周某向景某发送了显示为某医院的实时位置，景某随即回复周某称“这没有用，不能反映你（本人）在（那里）”。周某随即向景某发起位置共享，但景某未接受。后，景某安排的当日随访某医院的工作未完成。周某称其实际到达某医院的时间为10时左右。

2019年9月1日，医药公司向周某送达严重警告通知书，其中载明：“经查证，您8月26日上午出现拒不服从管理层包括资源管理经理合理指令的行为。有鉴于此，根据公司《员工手册》和《违纪处罚政策》规定，我们将给予您‘严重警告’的违纪处罚，自2019年9月1日生效。同时，您2019年度绩效贡献评定将为‘缺乏贡献’，且将扣除100%2019年第三季度所发放的销售奖金。”2019年9月底，医药公司扣发了周某2019年4月1日至2019年6月30日的第二季度销售奖金23268.75元。

周某申请劳动仲裁，要求医药公司支付销售奖金23420元。经裁决，周某的全部仲裁请求均被驳回。周某不同意上述裁决，诉至法院。

【案件焦点】

1. 管理层的指令是否合理；2. 周某的行为是否构成拒不服从管理层包括资源管理经理合理指令；3. 医药公司扣减周某一季度销售奖金的惩戒措施是否具有合理性。

【法院裁判要旨】

北京市大兴区人民法院经审理认为：无法认定医药公司就相应工作安排尽到了充分的通知注意义务以及该工作安排属于“合理指令”。医药公司给予“严重警告”，并据此扣发2019年4月1日至2019年6月30日期间的第二季度销售奖金23268.75元的做法显属不当，故对周某要求医药公司支付该销售奖金的诉讼请求予以支持。

北京市大兴区人民法院依照《中华人民共和国劳动合同法》第三十条第一款、《最高人民法院关于适用〈中华人民共和国民事诉讼法〉的解释》第九十条之规定，判决如下：

一、医药公司于判决生效之日起 10 日内向周某支付 2019 年 4 月 1 日至 2019 年 6 月 30 日期间的第二季度销售奖金 23268.75 元；

二、驳回周某的其他诉讼请求。

医药公司不服，提起上诉。北京市第二中级人民法院经审理认为：第一，景某的指令是否为“合理指令”。周某认可其事前提交的工作计划中载明，2019 年 8 月 26 日的工作为去某医院随访，景某在 2019 年 8 月 25 日晚在微信群内@周某，并告知周某第二天早上一同随访并非临时、紧迫通知，具有合理性，为合理指令。第二，周某的行为是否构成拒不服从管理层包括资源管理经理合理指令。首先，周某在 2019 年 8 月 25 日晚在微信群中回复“收到”，却主张并未看到景某的信息，该主张不具有合理性。其次，景某于 2019 年 8 月 26 日 8 时许到达随访地点时，周某并未到达随访地点，且景某多次联系周某，周某两个多小时内均未进行回复，现有可显示周某到达医院的支付记录时间为 10：27，周某对此称因其手机未开流量，并非故意不回复，该主张缺乏合理性。经询问，周某认可随访时间为早上医生上班前或中午、晚上医生下班后。据此，周某未在领导景某指定的时间内到达工作地点，最终亦未与景某一起完成随访工作，构成违反劳动者义务，医药公司有权对其进行惩戒。第三，医药公司扣减周某季度销售奖金的惩戒措施是否具有合理性。周某的岗位为医药销售，其劳动报酬实际由基本工资和销售奖金构成，周某获得的劳动报酬中销售奖金所占比例较高，扣减的该季度销售奖金远高于周某每月获得的劳动报酬。另，医药公司并未提供证据证明周某的行为给其造成严重后果或其他损失。综上，随访为周某的日常工作之一，在仅有一次未按照领导的指示完成随访工作，且未因此给医药公司造成严重后果或其他损失的情况下，医药公司扣减周某一个季度奖金，该惩戒措施明显过重，违反惩戒之“比例原则”，惩戒程度畸重，对此予以调整。

北京市第二中级人民法院依照《中华人民共和国民事诉讼法》第一百七十条第一款第二项规定，判决如下：

一、变更一审判决第一项为：医药公司于本判决生效之日起10日内向周某支付2019年4月1日至2019年6月30日期间的第二季度销售奖金21768.75元；

二、驳回周某的其他诉讼请求。

【法官后语】

用人单位惩戒权源于劳动关系“从属性”的根本属性，用人单位通过法律赋予以及规章制度确立的惩戒权，实现对劳动者的管理。一般来说，惩戒权多通过员工手册等规章制度予以体现，大致包括警告、降薪、调岗、解雇等措施，依劳动者行为的严重程度给予相应处罚，以此建立用人单位对劳动者的管理。用人单位在劳动关系中处于支配与管理的优势地位，若不对惩戒权加以规制，势必会对劳动者的权益造成损害。对用人单位惩戒权的合理规制可从以下三方面着手：

首先，从惩戒对象来说，惩戒的行为须限制在与工作有关的行为及违反劳动者义务的行为。具体而言，劳动者在工作时的行为若违反了用人单位规章制度、违反了劳动者义务或对用人单位造成了损害，用人单位才可使用惩戒权。若是工作场所之外的个人生活，则不属于用人单位可通过惩戒权进行控制的领域，如用人单位限制劳动者购买某类商品等，均属于超过权限对劳动者设定禁止义务，超出了惩戒权的应有之义。若劳动者有违反忠诚义务与勤勉义务的行为，如违反竞业限制义务，亦属于惩戒范围。值得一提的是，劳动者在社交平台以及网络上的言行是否应受惩戒权的限制仍需探讨。

其次，从惩戒措施来说，需兼顾合法性与合理性。合法性即惩戒措施不得违反法律法规，如不得限制人身自由、不可采取侮辱性手段等。合理性即惩戒措施须与劳动者的过错相当，不宜处罚畸重。惩戒权除法律赋予的外，一般体现在规章制度中，规章制度的内容是用人单位自主管理权的体现，亦会因行业不同导致侧重有所区别，一般情况下不宜过多干涉，但仍不能违背公序良俗或超出常人可接受的合理限度。例如，迟到一次即开除，一次未按时完成一项工作即扣除大部分乃至全部工资报酬等，都属于处罚畸重。合理限度的判断因素较多，难以一言蔽之，需结合社会常理、行业特点、具体情况来进行分析。

最后，从惩戒程序来说，需符合程序正当原则。具体而言，一是作为惩戒权依据的规章制度的制定需符合法律规定，例如，用人单位在制定、修改或者决定直接涉及劳动者切身利益的规章制度或者重大事项时，应当经职工代表大会或者全体职工讨论，提出方案和意见，与工会或者职工代表平等协商确定，且规章制度应公示或告知劳动者。不可随意以超出规章制度之外的或劳动者不知情的依据来行使惩戒权。二是要按照规章制度制定的流程对劳动者进行惩戒。用人单位的规章制度中，应对具体情形以及相对应的惩罚措施作出细致规定，且在行使惩戒权时，应按照相应流程进行，例如，给劳动者留有申诉途径、逐级批复后才可作出处罚等。

用人单位应正确认识惩戒对象、惩戒措施、惩戒程序三方面的限制，合理使用惩戒权，在有序、有效管理的同时，保障劳动者的合法权益，从而构建和谐劳动关系。

编写人：北京市第二中级人民法院　韩郭玲

51

用人单位能否通过规章制度约束劳动者工作时间外的违法行为

——郭某诉某绿林场劳动争议案

【案件基本信息】

1. 裁判书字号

北京市第一中级人民法院（2021）京01民终2229号民事判决书

2. 案由：劳动争议纠纷

3. 当事人

原告（上诉人）：郭某

被告（被上诉人）：某绿林场（以下简称林场）

【基本案情】

2019年7月16日，郭某入职林场，负责林业管护。同日，郭某手抄两遍单位规章制度，并予签字确认。其中，林场管理制度第十三条为“受到第三方处罚、行政拘留、酒后判刑，解除劳动合同，视情节严重，予以处分直到解除劳动合同”。2020年6月10日，因民警在处理郭某酒后打架纠纷时，郭某辱骂、推搡民警，阻碍执行职务，派出所给予郭某行政拘留处理。在起诉期限内，郭某未就行政处罚提起行政诉讼。6月11日，公安机关书面告知郭某所在单位林场。6月12日，林场以郭某违反单位规章制度为由，作出《解除劳动合同通知书》，要求郭某于6月26日前办理离职手续，逾期视为自动解除劳动关系。郭某于7月2日到单位办理了截至2020年6月9日的工资及相关欠休的结算手续。

2020年7月10日，郭某向延庆仲裁委提起仲裁申请，请求：1. 撤销用人单位于2020年6月12日作出的《解除劳动合同通知书》；2. 继续履行郭某的劳动合同。8月12日，延庆仲裁委以林场解除劳动关系行为并无不当为由裁决驳回郭某的仲裁请求。郭某不服仲裁裁决，诉至法院。

【案件焦点】

1. 用人单位规章制度是否可以约束劳动者工作时间之外的行为；2. 用人单位能否以劳动者工作时间以外行为违法，进而违反规章制度为由解除劳动合同。

【法院裁判要旨】

北京市延庆区人民法院经审理认为：用人单位可以劳动者严重违反规章制度为由解除劳动合同。关于郭某主张林场的规章制度约束了劳动者工作时间以外的行为问题，第一，法律法规并未禁止用人单位就劳动者工作时间以外的行为制定规章制度加以约束，尤其是在劳动者的行为不当会导致社会对用人单位产生负面评价时，其有权制定规章制度对劳动者行为加以约束；第二，用人单位制定规章制度，要求劳动者在日常生活中遵守法律法规，符合法治社会建设要求，应予提倡。关于郭某主张林场的规章制度文义不清问题，相关表述确实存在一定的理解歧义，但鉴于郭某因阻碍执行职务受到行政处罚，且林场亦收到公安机关告知书，其据此认定郭某严重违反规章制度，未超出常识理解范围。关于郭某主张林场解除劳动关系的行为构成对郭某的“重复处罚”问题，公安机关对郭某执行行政拘留是基于《中华人民共和国治安管理处罚法》，而林场与郭某解除劳动关系是基于规章制度的特别约定，两者的法律性质不同，基于的事实和依据亦不同。郭某知悉林场的规章制度，亦未在工作过程中就此提出过异议，林场以严重违反规章制度为由解除与郭某的劳动关系，且已向郭某送达解除劳动合同通知书，并无不当。

北京市延庆区人民法院依照《中华人民共和国劳动法》第二十五条、《中华人民共和国劳动合同法》第三十九条等规定，判决如下：

驳回郭某的诉讼请求。

郭某不服，提起上诉。北京市第一中级人民法院经审理认为：二审主要争议问题为，林场解除郭某劳动合同的程序是否因违反法律规定而构成违法解除。双方均认可林场不存在工会组织，林场虽未在解除与郭某的劳动关系前通知工会，但其在 2020 年 6 月 22 日发函告知上级单位工会。因林场已在决定作出后及时补正了程序瑕疵，上级单位工会亦未就解除劳动合同提出异议，故不应以此认定林场构成违法解除劳动合同。

北京市第一中级人民法院依照《中华人民共和国民事诉讼法》第一百七十条等规定，判决如下：

驳回上诉，维持原判。

【法官后语】

本案的主要争议焦点是用人单位规章制度是否可以约束劳动者工作时间之外的行为并据此解除劳动合同。郭某认为自己系因工作时间以外的行为不当而受到行政处罚，林场以其严重违反规章制度为由解除劳动合同，不符合规章制度规定精神，构成重复处罚，且规章制度也不尽合理，故林场解除劳动合同违法。林场则认为郭某系因阻碍执行公务被处罚，法律并不禁止规章制度对劳动者工作时间以外的行为进行一定程度的约束，结合其规章制度的具体规定，加之已履行相应法定程序，其与郭某解除劳动合同的行为合法。

用人单位制定规章制度，既应合乎程序要求，亦应保证内容合理合法。就程序而言，规章制度应履行职工代表大会或其他民主程序并应履行公示程序。通常，公示程序是指规章制度必须明确告知劳动者，用人单位未尽到告知义务的，不能作为处理劳动争议的依据。就实质内容而言，规章制度应符合法律规定，即用人单位可以根据自身的业务范围及劳动者情况灵活自主制定规章制度，但相应内容不得与法律、行政法规及政策规定冲突。也即，法无明文禁止即允许，基于管理的需要，用人单位可以在不违反法律的情况下，对劳动者的行为予以约束，这一约束时间也并未限于工作时间。当然，司法实践中，也会对规章制度内容的合理性予以一定审查，若具体规定无故对劳动者施以较为严苛的约束，则通常该部分规定也不会作为法院定案的依据。

林场的规章制度要求劳动者遵纪守法，对于违法劳动者予以惩戒，并不是单独就工作时间外的劳动者行为予以规制。林场作为当地具有一定影响力的企业，其该做法既是为了维护自己的整体形象，也是顺应我国法治社会建设的要求。林场的规章制度中，关于劳动者受到何种行政处罚构成严重违反规章制度以及林场在劳动者受到哪些处罚时可以解除劳动合同的规定，确实存在文义不清的情形。然而，郭某系因阻碍执行公务被处罚，且公安机关通报林场，已使得林场受到较大影响。郭某的违法行为显然严重违反林场规章制度，据此，林场与郭某解除劳动合同并无不当。

法律是社会治理的普遍范式。本案中，林场作为一家集体性质的公司，在其规章制度中要求劳动者遵纪守法，并对劳动者违法行为予以解除合同的处分，反向敦促劳动者在工作和生活中均应遵守社会基本法律，践行了社会主义核心价值观关于“法治”的要求。劳动者郭某在日常生活中没有认真遵守法律，酒后打架、辱骂民警、阻碍执行公务，造成不良社会影响，亦给其单位林场带来负面社会评价。林场以此为由解除劳动合同并无不当。嗣后，郭某不仅不认真悔改，反而以用人单位的规章制度不合法合理为由，起诉要求确认林场解除劳动关系的行为无效，如若支持郭某的主张，将形成不良示范效应，也会损害其他遵纪守法者的利益。

编写人：北京市延庆区人民法院　石菲　杨博

52

员工手册中加重劳动者法定义务的条款应属无效

——汽车座椅公司诉李某劳动合同案

【案件基本信息】

1. 裁判书字号

上海市第二中级人民法院（2021）沪02民终10450号民事判决书

2. 案由：劳动合同纠纷

3. 当事人

原告（上诉人）：汽车座椅公司

被告（被上诉人）：李某

【基本案情】

2010年1月20日，被告进入原告处工作。2020年8月24日起，被告开始以手腕关节疼痛、腕关节损伤等为由请病假。原告公司员工手册规定，员工连续请病假一个月的，公司有权要求员工进行劳动能力鉴定，拒不配合的属严重违纪，公司不予批准请假申请，并有权对其缺勤时间按旷工处理。2021年1月18日，原告以被告拒绝至劳动能力鉴定委员会进行劳动能力鉴定且未至原告处上班，对被告的病假真实性不予认可，按旷工处理，将被告予以辞退。后被告申请劳动仲裁，仲裁裁决原告支付被告违法解除劳动合同赔偿金104902.82元及病假工资3100元。原告汽车座椅公司对仲裁裁决不服，诉至法院，要求法院判令：1. 原告无须支付被告违法解除劳动合同赔偿金104902.82元；2. 判令原告无须向被告支付2020年11月21日至2021年1月18日期间病假工资3000元。

被告李某辩称：原告的诉请没有事实和法律依据，应当予以全部驳回。首先，原告陈述的被告违纪违规缺乏事实依据。被告自2020年8月24日因病请假，在原告对被告病假存疑的情况下，2021年1月4日，被告应原告要求与原告工作人员共同去原告指定的医院进行复查，医院确认被告有伤在身并又给被告出具了两周的病假单，由此可见被告的病情属实。其次，针对解除通知当中提到的劳动能力鉴定的问题，被告所受之伤不是工伤，不符合工伤鉴定程序，在医疗期内不需要做劳动能力鉴定，原告根据员工手册规定要求被告进行劳动能力鉴定没有法律依据。综上，不同意原告诉讼请求。

【案件焦点】

经民主程序制定的员工手册条款加重劳动者的法定义务时，该条款的效力认定问题。

【法院裁判要旨】

上海市宝山区人民法院经审理认为：被告2020年8月24日起因病多次至医院就诊，就诊医院为被告出具连续疾病证明单。在原告质疑被告病情的情况下，被告在原告工作人员陪同下至定点医院进行复诊，诊断显示被告存在伤病，并且复诊医院也给予休息两周至2021年1月18日的意见。被告在病休期间已将疾病证明单交给原告并履行了请假手续，原告对被告病假事实应当清楚。原告员工手册虽规定连续病假一个月的，公司有权要求员工进行劳动能力鉴定，拒不配合的属严重违纪，公司不予批准请假申请，并有权按旷工处理。但职工因病休假是劳动法赋予员工的权利，申请病假也不以员工是否具有劳动能力为前提，原告上述规定加重了员工的法定义务，原告在对被告病假事实清楚的情况下，以被告不配合进行劳动能力鉴定为由，对被告病假事实不予认可，进而按照旷工解除劳动关系，缺乏依据，属于违法解除劳动合同，原告应当支付被告违法解除劳动合同赔偿金。另病假期间，原告作为用人单位应当支付被告病假期间的工资。

上海市宝山区人民法院根据《中华人民共和国劳动法》第七十八条，《中华人民共和国劳动合同法》第四十七条、第八十七条之规定，判决：

一、对原告汽车座椅公司的诉讼请求不予支持；

二、原告汽车座椅公司于本判决生效之日起十日内支付被告李某违法解除劳动合同赔偿金104902.82元；

三、原告汽车座椅公司于本判决生效之日起十日内支付被告李某2020年11月21日至2021年1月18日期间病假工资3100元。

二审法院同意一审法院裁判意见。

【法官后语】

和谐劳动关系的建立，关乎劳动者和用人单位的合法权益，关乎经济发展和社会稳定的大局。用人单位作为劳动关系的主体一方，和劳动者相比处于强势地位，在劳动合同的缔结、员工手册的制定等方面切忌滥用强势地位，借民主程序之名来加重劳动者一方的义务，损害劳动者的合法权益。

1. 劳动者享有因病休息休假的权利

劳动者因病休假是法律赋予劳动者的权利。《中华人民共和国劳动法》明确规定，劳动者享有休息休假的权利。劳动者患病或者非因工伤停止工作治病休息，可享受一定期限的医疗期，用人单位不得因此解除劳动合同。与此同时，上海市人民政府在《关于本市劳动者在履行劳动合同期间患病或者非因工负伤的医疗期标准的规定》[1] 中也明确规定，劳动者在本单位工作第1年，医疗期

---

[1] 载上海市人民政府网站，https://www.shanghai.gov.cn/nw38936/20200821/0001-38936_44821.html，最后访问时间：2023年3月29日。

为3个月；以后工作每满1年，医疗期增加1个月，但不超过24个月。可见，上到我国法律，下到地方性文件，对劳动者休息休假的权利都有明确的规定。用人单位在劳动者身患疾病时，在法律规定的医疗期内，应保障被告合理休息的权利并承担相应的病假工资。

2. 用人单位用工管理权的边界

劳动关系具有鲜明的人身依附性和隶属性。在劳动合同的履行过程中，用人单位对劳动者具有用工管理权。一般而言，除劳动者应遵守的基本的劳动纪律和职业道德外，企业会通过制定员工手册等方式来细化和延伸劳动者的权利和义务。但劳动管理权的行使，即相关规章制度的制定和执行并非毫无边界，除不能违反法律的强制性规定外，也应遵循基本的社会常理、人伦道德以及善良风俗，秉持合理、适度和善意的原则。另外，用人单位虽对劳动者享有用工管理权，但劳动者与用人单位之间亦是相互成就的关系，合法、合理、充满人性化的规章制度才能更充分地激发劳动者的主观能动性和创造性，为企业创造最大的效益，促进企业可持续发展。

3. 加重劳动者法定义务的员工手册条款应认定为无效

劳动能力鉴定是指职工因工负伤、职业病或非因工伤残、患病等原因，导致劳动与社会生活能力受到不同程度的影响，从而由劳动能力鉴定机构所做的一种判断，并非劳动者申请病假的前提，两者之间并无必然关联。用人单位的员工手册虽经民主程序制定，但规定员工病假超过一个月的，公司有权要求员工进行劳动能力鉴定，拒不配合的属严重违纪，公司不予批准请假申请，并有权对其缺勤时间按旷工处理。该条款将劳动者申请病假与是否具有劳动能力相挂钩，对员工病假的审批以员工是否具有劳动能力为前提，而非根据员工是否患有疾病，剥夺了劳动者因病休息的权利，有强迫劳动之嫌，不仅加重了劳动者的法定义务，亦违背一般的生活常理，更缺乏必要的人文关怀，不利于劳动者劳动权益的保护，不利于和谐劳动关系的建立。因此，即便员工手册中的相关条款通过民主程序产生，也应认定为无效。

编写人：上海市宝山区人民法院　张继峰

53

主张加付赔偿金须劳动行政部门责令限期支付前置

——熊某诉软件公司劳动争议案

【案件基本信息】

1. 裁判书字号

北京市第一中级人民法院（2021）京 01 民终 9759 号民事判决书

2. 案由：劳动争议纠纷

3. 当事人

原告（上诉人）：熊某

被告（被上诉人）：软件公司

【基本案情】

2007 年 1 月 2 日，熊某入职软件公司，双方于 2013 年 4 月 2 日订立了无固定期限劳动合同，软件公司于 2018 年 11 月 20 日与熊某解除劳动合同。

2019 年，法院受理原告熊某诉被告软件公司劳动争议纠纷一案，熊某要求软件公司支付其违法解除劳动合同赔偿金、工资差额、未休年假工资、病假工资、奖金、论文发表注册费、工会福利损失。该案经二审维持原判确认如下：一、软件公司支付熊某违法解除劳动合同赔偿金 609624 元；二、软件公司支付熊某 2018 年 9 月 1 日至 2018 年 11 月 20 日期间的工资差额 10204.6 元；三、软件公司支付熊某 2018 年 1 月 1 日至 2018 年 11 月 20 日期间的未休年假工资 17429.93 元（已执行）；四、软件公司支付熊某 2018 年 1 月 1 日至 2018 年 6 月 30 日期间的半年奖金 21180 元；五、软件公司支付熊某工会福利损失 80 元。2020 年 11 月 26 日，软件公司仅向熊某银行账户转账支付部分费用，共计

614139.48元。

熊某称其就赔付金问题前往过劳动行政部门大厅，但劳动行政部门称无法判断，应直接进行仲裁，后因未保留相关证据，故起诉至法院，请求法院判令软件公司支付其违法拖欠工资的赔付金10204.6元、违法拖欠2018年年中奖的赔付金63540元、违法拖欠2018年年终奖21180元及赔付金21180元。

【案件焦点】

主张加付赔偿金是否须劳动行政部门责令限期支付前置。

【法院裁判要旨】

北京市海淀区人民法院经审理认为：第一，关于熊某主张的拖欠工资、2018年年中奖赔付款一节。《中华人民共和国劳动合同法》第八十五条规定：“用人单位有下列情形之一的，由劳动行政部门责令限期支付劳动报酬、加班费或者经济补偿；劳动报酬低于当地最低工资标准的，应当支付其差额部分；逾期不支付的，责令用人单位按应付金额百分之五十以上百分之一百以下的标准向劳动者加付赔偿金：（一）未按照劳动合同的约定或者国家规定及时足额支付劳动者劳动报酬的；（二）低于当地最低工资标准支付劳动者工资的；（三）安排加班不支付加班费的；（四）解除或者终止劳动合同，未依照本法规定向劳动者支付经济补偿的。”本案中，熊某未提交相应证据证明劳动行政部门已责令软件公司限期支付上述报酬，其主张缺乏法律依据。

第二，关于熊某主张的2018年年终奖及赔付金一节。熊某主张的2018年年终奖已被生效判决驳回，故其在本案提起的诉讼请求构成重复起诉，应当裁定驳回其起诉，本案以判决吸收裁定的方式裁定驳回熊某的该部分起诉，不再另行制作送达书面裁定书，熊某主张2018年年终奖赔付金缺乏事实和法律依据。

北京市海淀区人民法院依照《中华人民共和国民事诉讼法》第六十四条第一款、《最高人民法院关于适用〈中华人民共和国民事诉讼法〉的解释》第九十条之规定，作出如下判决：

驳回熊某的诉讼请求。

二审法院同意一审法院裁判意见。

【法官后语】

加付赔偿金最早见于《违反和解除劳动合同的经济补偿办法》[①]，该办法第十条规定："用人单位解除劳动合同后，未按规定给予劳动者经济补偿的，除全额发给经济补偿金外，还须按该经济补偿金数额的百分之五十支付额外经济补偿金。"后《中华人民共和国劳动合同法》实施，其中第八十五条对该办法第十条进行了吸收，规定："用人单位有下列情形之一的，由劳动行政部门责令限期支付劳动报酬、加班费或者经济补偿；劳动报酬低于当地最低工资标准的，应当支付其差额部分；逾期不支付的，责令用人单位按应付金额百分之五十以上百分之一百以下的标准向劳动者加付赔偿金：（一）未按照劳动合同的约定或者国家规定及时足额支付劳动者劳动报酬的；（二）低于当地最低工资标准支付劳动者工资的；（三）安排加班不支付加班费的；（四）解除或者终止劳动合同，未依照本法规定向劳动者支付经济补偿的。"至此，《中华人民共和国劳动合同法》用加付赔偿金取代了原劳动部规定的50%的额外经济补偿金。

但上述规定随即引发争议，即加付赔偿金究竟应由劳动行政部门责令支付还是属于法院受理范围。一种观点认为，加付赔偿金只能通过劳动行政监察部门"责令支付"的形式来实现，该赔偿金的性质类似于加处罚款的执行罚措施，通过加收一定数额赔偿金的手段，促使用人单位履行法定支付义务，以保护劳动者的合法权益。另一种观点则认为，加付赔偿金是用人单位因为违反法律规定而侵犯了劳动者的合法权益，并因此而应当承担的惩罚性赔偿责任，属于民事法律责任，劳动者可以通过民事诉讼来主张。《最高人民法院关于审理

---

① 载人力资源和社会保障部网站，http：//www.mohrss.gov.cn/wap/zc/fgwj/201705/t20170522_ 271148.html，最后访问时间：2023年3月29日。该办法现已废止，参见《人力资源社会保障部关于第五批宣布失效和废止文件的通知》，载人力资源和社会保障部网站，http：//www.mohrss.gov.cn/xxgk2020/fdzdgknr/zcfg/gfxwj/zh/201711/t20171129 _ 282466.html，最后访问时间：2023年3月29日。

劳动争议案件适用法律问题的解释（一）》第一条第八项选择了第二种观点，即劳动者依据《中华人民共和国劳动合同法》第八十五条规定，要求用人单位支付加付赔偿金发生的纠纷属于劳动争议，人民法院应予受理。但后续则引发另一问题，即劳动者主张加付赔偿金前是否应先由劳动行政部门责令限期支付，并将劳动争议处理程序作为一种补充救济手段。该问题在实践中尚未达成共识。

笔者认为，加付赔偿金之主张确应先由劳动行政部门责令限期支付，主要基于以下几方面考虑：第一，对《中华人民共和国劳动合同法》第八十五条进行文义解释可知，用人单位未足额支付劳动报酬、加班费或者经济补偿的，劳动行政部门可责令限期支付，逾期未支付的可责令用人单位支付加付赔偿金，即加付赔偿金产生的前提包括未足额支付相关费用、劳动行政部门责令限期支付以及用人单位期限内未支付。第二，加付赔偿金本质属于一种惩罚性赔偿责任，如果用人单位逾期未支付劳动报酬、加班费或者经济补偿等费用，该期间劳动者所受额外损失仅为资金占用损失，该损失较加付赔偿金有巨大差距，故加付赔偿金之立法用意在于对用人单位不服从劳动行政部门限期支付的惩罚，显然应将劳动行政部门责令限期支付作为主张加付赔偿金的前置程序。第三，当前劳动争议案件中涉及未及时足额支付劳动报酬、加班费、经济补偿的案件占比极大，而其中部分经济状况不佳的用人单位往往选择不履行或部分履行判决内容，如果取消劳动行政部门责令限期支付的前置程序，必将导致劳动者大量启动加付赔偿金劳动仲裁与诉讼，在案件数量上将对仲裁委与法院造成巨大冲击。第四，虽有部分观点认为劳动行政部门责令限期支付前置将引发大量行政复议与行政诉讼，延误诉讼周期，但考虑到加付赔偿金系惩罚性赔偿，自然须为用人单位提供充分程序保障，且劳动者如需缩短诉讼周期可径行仲裁、起诉要求支付劳动报酬、加班费、经济补偿等费用。如系用人单位未按仲裁委或法院已生效法律文书履行而引发的加付赔偿金纠纷，则劳动行政部门可直接依据已生效法律文书责令用人单位限期支付，自然难以产生复杂纠纷。

编写人：北京市海淀区人民法院　陈强

图书在版编目（CIP）数据

中国法院2023年度案例．劳动纠纷：含社会保险纠纷／国家法官学院，最高人民法院司法案例研究院编．—北京：中国法制出版社，2023.5
ISBN 978-7-5216-3291-0

Ⅰ.①中… Ⅱ.①国…②最… Ⅲ.①劳动争议-民事纠纷-案例-汇编-中国 Ⅳ.①D920.5

中国国家版本馆CIP数据核字（2023）第026388号

策划编辑：李小草　韩璐玮（hanluwei666@163.com）
责任编辑：赵律玮（ayu.0907@163.com）　　封面设计：李宁

中国法院2023年度案例．劳动纠纷：含社会保险纠纷
ZHONGGUO FAYUAN 2023 NIANDU ANLI. LAODONG JIUFEN：HAN SHEHUI BAOXIAN JIUFEN

编者/国家法官学院，最高人民法院司法案例研究院
经销/新华书店
印刷/三河市紫恒印装有限公司
开本/730毫米×1030毫米　16开　　印张/15.75　字数/188千
版次/2023年5月第1版　　2023年5月第1次印刷

中国法制出版社出版
书号 ISBN 978-7-5216-3291-0　　定价：69.00元

北京市西城区西便门西里甲16号西便门办公区
邮政编码：100053　　传真：010-63141600
网址：http：//www.zgfzs.com　　**编辑部电话：010-63141793**
市场营销部电话：010-63141612　　**邮购部电话：010-63141606**